「数」と「計算」で
プログラミングの
本質を理解する！

# Python

で学ぶ

The best way to
learn computer
programming with

Python.

## はじめての
## プログラミング

## 入門教室

柴田 淳

## 本書に関するお問い合わせ

この度は小社書籍をご購入いただき誠にありがとうございます。小社では本書の内容に関するご質問を受け付けております。本書を読み進めていただきます中でご不明な箇所がございましたらお問い合わせください。なお、お問い合わせに関しましては下記のガイドラインを設けております。恐れ入りますが、ご質問の際は最初に下記ガイドラインをご確認ください。

### ご質問の前に

小社 Web サイトで「正誤表」をご確認ください。最新の正誤情報をサポートページに掲載しております。

- 本書サポートページ URL

  https://isbn2.sbcr.jp/13358/

### ご質問の際の注意点

- ご質問はメール、または郵便など、必ず文書にてお願いいたします。お電話では承っておりません。
- ご質問は本書の記述に関することのみとさせていただいております。従いまして、○○ページの○○行目というように記述箇所をはっきりお書き添えください。記述箇所が明記されていない場合、ご質問を承れないことがございます。
- 小社出版物の著作権は著者に帰属いたします。従いまして、ご質問に関する回答も基本的に著者に確認の上回答いたしております。これに伴い返信は数日ないしそれ以上かかる場合がございます。あらかじめご了承ください。

### ご質問送付先

ご質問については下記のいずれかの方法をご利用ください。

#### ▶ Web ページより

上記のサポートページ内にある「この商品に関する問い合わせはこちら」をクリックすると、メールフォームが開きます。要綱に従って質問内容を記入の上、送信ボタンを押してください。

#### ▶郵送

郵送の場合は下記までお願いいたします。

〒 106-0032　東京都港区六本木 2-4-5

SB クリエイティブ　読者サポート係

# はじめに

　本書は「Python（パイソン）」を学ぶための本です。Pythonは、プログラムを作るための特別な「ことば」です。AI（人工知能）をあやつるようなプロのエンジニアだけでなく、フランスでは中学生からPythonを学びます。日本でも教科書に載っています。

　幅広い層に使われているPythonと一緒に、「プログラミングの基本」を学んでほしいというのが、本書の「めあて」です。そのために、次の目標を立てました。

## 多くの人が読める

　小学校高学年程度の算数が分かれば、内容を理解できます。図も豊富です。むずかしい専門用語をできるだけ使わず、それでいて本質が伝わるように工夫しました。

## 多くの人が試せる

　パソコンはもちろん、タブレットやスマホがあれば、本のプログラムを動かし、試すことができます。ソフトやアプリのインストールは必要ありません。

## 多くの人が楽しめる

　プログラムを実際に動かすことで、学習内容を実感でき、楽しみながら学習を進められるように教材を工夫しました。

　コンピューターが身近になり、ChatGPTやディープラーニングのように、日常で役に立つAI技術が発達してきたからでしょうか、かつて専門家だけのものだった「プログラミング」に、より多くの人が興味を持ちはじめているのを感じます。

　そんな時代の変化への「答え」となることを目指して本書を書きました。みなさんもぜひ、この本でPythonとプログラミングの基本をマスターしてください。

2023年10月　自宅にて

# Contents

# Pythonの世界を広げよう　163

# Part 1

# Pythonの基本を
# 知ろう

この本では、「Python（パイソン）」という「ことば」について学びます。Pythonは、プログラムを作るために使われる「特別なことば」です。

Part1では、プログラムを作るときに使う「ことばの部品」について覚えましょう。Part1を読み終わる頃には、みなさんはきっと、基本的なプログラムを読んだり、書いたりできるようになっているはずです。

# Pythonはどんなもの？
## ～なにができて、学ぶにはなにからはじめればよいの？～

3

4

# Pythonをはじめよう

プログラムでコンピューターがどう動いているのかの基本を、Pythonを学びながら理解していきましょう。まずは、Pythonを使ったプログラミングのスタートラインに立ちましょう。そのためにこの章では、次のようなことを学びます。

▷ Pythonを学ぶための準備
▷ Pythonの変数についての基本
▷ Pythonを使った計算
▷ プログラムの書きはじめ方

# 1-1 Pythonってなんだろう

Pythonを学ぶための準備をして、学習のスタートラインに立ちましょう。

🔍 **この節で分かること**

- ✓ Pythonとはなにか
- ✓ Pythonでなにができるのか
- ✓ Pythonのプログラムを動かす方法

## 1-1-1 Pythonを学ぶ準備をしよう
— Pythonのプログラムを動かす準備をしましょう。

　Pythonがどんなものかについては、先ほどのマンガでちょっとわかったと思います。これからいよいよ、Pythonを学んで行きましょう。

　この本では、**Webブラウザ**を使ってPythonのプログラムを見たり、動かしたり、書いたりします。特別なソフトやアプリをインストールしなくても、Pythonの勉強を進めることができるしくみがあるのです。とても簡単ですので、みなさんもぜひこの本のプログラムを動かしながら学んでみてください。

### ◆ 1. 必要なものを準備しよう

　まずは必要なものを準備しましょう。Webブラウザを使ってPythonのプログラムを動かすには、次の**3つのうちどれか**を用意してください。そして、インターネットに接続できるようにしておきます。

▶ **パソコン**

 パソコンがあると楽ですよ。プログラムの文字を修正したり、入力したりするために便利なキーボードがついているからです。

この本では、Googleが提供している**Chrome（クローム）**という種類のWebブラウザを使っていきます。

▶ **タブレット**

 大きな画面のタブレットでもまあまあ楽です。外付けのキーボードがあると、プログラムを入力しやすいですよ。

タブレットでも、Googleの**Chromeアプリ**を使うとよいでしょう。

▶ **スマートフォン**

 画面が小さくなるので、ちょっと大変です。それを我慢するならなんとか使えます。

　この第1章では、WebブラウザでPythonを動かすしくみを紹介していきますが、パソコンを使うなら、自分のパソコンにPythonをインストールして、プログラムを動かすこともできます。p.278からのAppendixの「A-2」でくわしい方法を説明しています。自信のある人は、ぜひチャレンジしてみてください。

## ◆ 2. プログラムを表示しよう

　インターネットに接続できるパソコンやタブレットなどが準備できたら、Webブラウザのアドレス入力欄に、次の文字（短縮URL）を入力するか、タブレットやスマートフォンのカメラでQRコードを読み込んでWebブラウザに表示します。

アドレス欄に入力する文字　QRコード

qrtn.jp/dv5h97b

どちらの方法でも、次のアドレスのWebページにアクセスできます。

URL https://colab.research.google.com/github/shibats/mpb_samples/blob/main/ch01/code_1_1.ipynb

パソコンを使う人は、「qrtn」ではじまる文字（短縮URL）をWebブラウザのアドレス欄に入力してください。

タブレットやスマートフォンを使っている人は、カメラアプリでQRコードを読み込むのが楽です。

　Webブラウザに次の画面が表示されると思います。これは、**Colaboratory**（以下**コラボラトリー**）というPythonのプログラムを動かせるしくみです。Googleが作って、一般に公開しているしくみで、Googleのアカウントを登録するだけで**無料**で使えます。

　「**プログラム1-1**」というページに表示されているのが、Pythonのプログラムです。これはみなさんの勉強用に筆者が作ったサンプルのプログラムです。それがコラボラトリーというしくみを使って表示されている、というわけです。

**Webブラウザで表示したコラボラトリーの画面**

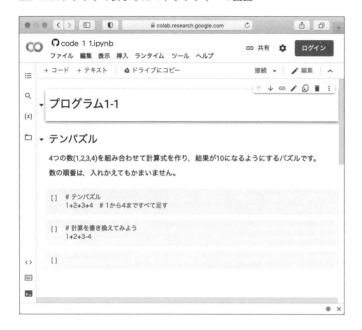

　コラボラトリーを使うと、Pythonプログラムの「表示して読む」「動かす」「書く・書き換える」が全部できます。Webブラウザだけあれば、Pythonのプログラミングや学習ができるので、とても便利です。

どんなしくみで動いているのかは、少しあとで説明しますね。

### ◈ 3. Googleアカウントでログインをしよう

　Webブラウザにコラボラトリーの画面が表示できたらもう一息です。プログラムを動かすためにGoogleのアカウントで**ログイン**をしましょう。

　Googleのアカウントは、ビデオ配信サービスのYouTubeやメールサービスのGmailに登録していたり、Androidスマートフォンで利用しているものと同じです。

　コラボラトリーの画面の右上にある「ログイン」ボタンをクリックすると、**Googleアカウント**の**メールアドレス**と**パスワード**の入力を求められる画面が開きますので、それぞれ入力します。「ログイン」ボタンが表示されていない人は、すでにGoogleのアカウントでログインできていると思います。

「ログイン」ボタンを押すと、入力用の画面が表示されます。ここに、Googleアカウントの**メールアドレス**と**パスワード**を入力してログインしてください。

ログインをしたあとに、この「^」を押すと、画面を広く使えますよ。

動画サイトのYouTubeやメールサービスのGmailにログインするときと同じものが使えます。わからなかったら、身近で詳しい人に聞いてくださいね。

Googleのアカウントでコラボラトリーにログインができたら、Pythonのプログラムを動かしたり、書いたりする準備ができたことになります。

## 1-1-2 Pythonのプログラムを動かそう
Pythonを学ぶために、プログラムを動かすことはとても大切です。

プログラムは、コンピューターで動かすために作るものです。動かさないと意味がありません。

　　勉強のためにも、プログラムを動かすことはとても大切です。

動かしてみることで、1つひとつのプログラムがどう動作しているのかを、具体的なイメージとしてつかむことができるからです。みなさんもぜひ本書のプログラムを動かしながら、本を読み進めてください。

Webブラウザに「**プログラム1-1**」を表示して、コラボラトリーにログインができていれば、プログラムを動かす準備はできています。

Webブラウザに表示された「プログラム1-1」の画面には「**テンパズル**」と書いてあります。これは4つの数を使って、結果が10（テン）になる計算式を作るパズルです。プログラムの画面にも説明文が書いてありますね。

**▶「プログラム1-1」の画面**

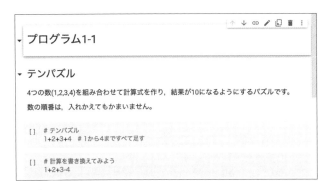

そして、そのすぐ下を見てください。

```
# テンパズル
1+2+3+4   # 1から4まですべて足す
```

この2行が書いてある部分を、**入力セル**といいます。コラボラトリーで**プログラムを書く部分**です。入力セルには、文字や数字、記号が書いてあります。「# テンパズル」と書いてある行の、次の行を見てください。

この「1+2+3+4」という部分は、人間が読むと**計算式**に見えますね。Pythonが読んでも**計算式**として見えています。たった1行しかありませんが、これでも立派な**Pythonのプログラム**なのです。

> 計算式は、人間にもPythonにも同じに見える
> もっとも基本的なプログラムです。

「1+2+3+4」くらいの簡単な式なら、暗算で答えを出せると思います。簡単でも計算は面倒です。面倒な仕事はPythonにお願いすることにしましょう。

入力セルの上にマウスカーソルを動かすかタップすると、左側の［ ］（角かっこ）に●のボタンが表示されます。これは、プログラムを動かすための**実行ボタン**です。●を押すと、Pythonのプログラムが動きます。このプログラムは計算をするプログラムです。実行ボタンを押して、プログラムを動かしてみましょう。

最初はGoogleが作成したものではないと警告が表示されますが、筆者が作った安全なプログラムなので、動かして大丈夫です。「このまま実行」を押してください。警告メッセージを閉じたら、実行ボタンを押して、プログラム動かしてみましょう。

■■ **はじめて実行するときに表示される警告メッセージ**

警告: このノートブックは Google が作成したものではありません。

このノートブックは **GitHub** から読み込まれています。Google に保存されているデータへのアクセスが求められたり、他のセッションからデータや認証情報が読み取られたりする場合があります。このノートブックを実行する前にソースコードをご確認ください。

**キャンセル** 　このまま実行

これ、ちょっとビックリしますね。

プログラムを開いて、最初にプログラムを動かすときだけ、この警告が表示されます。心配せず、「**このまま実行**」ボタンを押して閉じちゃいましょう。

■■ **実行ボタンを押してプログラムを動かしてみる**

実行
ボタン　　　　　　　　入力セル

```
# テンパズル1
1+2+3+4  # 1から4まですべて足す
```

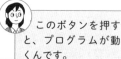

このボタンを押すと、プログラムが動くんです。

ボタンを押すと、**実行ボタン**のまわりに**点線が回転するアニメーション**が表示されます。グルグルしている間は、プログラムが**動いている途中**であることを示しています。アニメーションが止まるまで待ってください。

### プログラムが実行されて結果が出力される

プログラムが動いている

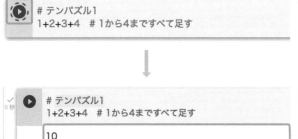

実行ボタンを押したら、グルグルが止まるまで待ってくださいね。

プログラムの実行が終わるまで、しばらく時間がかかることがあります。

出力セル

　アニメーションが止まり、プログラムが動き終わると、**入力セル**の下に「10」という計算の答えが表示されます。この計算の答えが表示される場所を、**出力セル**といいます。プログラムが動いたあと、**結果を表示するのが出力セル**です。

　これがプログラムを実行する手順の流れです。この先もどんどん動かしていきますので、すぐに慣れると思います。

---

**column**

## コラボラトリーで Python のプログラムが動く「しくみ」

　Webブラウザだけあれば、Pythonのプログラムを動かせるコラボラトリーは、とても便利です。でも、どんなしくみでプログラムが動くのでしょうか？

　実行ボタンを押すと、**入力セル**に書いたプログラムがGoogleのコンピューターに送られます。そして、Googleのコンピューター内でプログラムが実行されて、返ってきた結果を出力セルに表示します。これが基本的なしくみです。

### コラボラトリーの基本的な処理の流れ

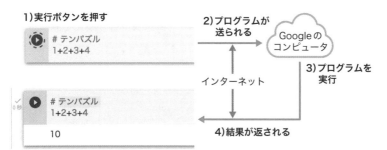

Googleのコンピューターの中では、Pythonが待っています。Pythonは、インターネット経由で受け取ったプログラムを、Googleのコンピューターが読めるように翻訳します。翻訳した内容をコンピューターが処理します。そして、処理した結果を受け取ったPythonは、今度は人間が読みやすいように変換してから、インターネット経由で送り返しています。

　このようなしくみのことを**クラウド**と呼ぶことがあります。このように、PythonはGoogleのクラウドの中で、人間とコンピューターの間に立って動いているのです。

**📡 コラボラトリーでPythonプログラムが動くしくみ**

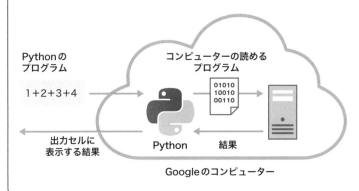

# 1-1-3 プログラムを書き換えよう

「書き換える」ことは、プログラムを「書く」ための第一歩です。

　コラボラトリーの**入力セル**に書いてあるプログラムは、**書き換える**ことができます。プログラムを書き換えることは、書けるようになる第一歩です。

　コラボラトリーの「プログラム1-1」の画面で、先ほど実行した入力セルの下に、もう1つ入力セルが表示されていると思います。「# 計算を書き換えてみよう」と書いてあるところです。ここで、ちょっとこの「# (シャープ)」について説明しておきましょう。

　Pythonで「# (シャープ)」という記号から右側の部分は「コメント」と呼ばれています。Pythonはコメントをプログラムとしては認識しません。**コメントは注意書き**のようなものです。プログラムではありませんが、人間が読むと役に立つことな

どが書いてあります。

　2つ目の入力セルのコメントに、どうして「# 計算を書き換えてみよう」と書いてあるのでしょうか？ 実行ボタンを押して、2つ目のセルを実行してみると分かります。

> # 計算を書き換えてみよう
> 1+2+3-4
>
> 2

 あれ、出力セルの計算の答えが「2」になってますね。

 **テンパズル**というのは、「10になる計算」を組み立てるパズルです。これではパズルが成り立ちませんね。

　セルの**計算式**をよく読んでみましょう。使われている数は、1つ目のセルと同じですが、1つだけ**引き算**が混じっていることに気がつきましたか？ この引き算を足し算にすれば、計算の答えが「10」になるはずです。一番右の最後の**引き算を足し算に書き換え**ればよさそうです。

　書き換える前に、1つだけ気をつけてもらいたいことがあります。コンピューターであつかう文字には、幅のせまい**縦長の文字（半角文字）**と、幅の広い**真四角の文字（全角文字）**があります。

**8** 半角

 半角は、幅のせまい文字です。プログラムに使います。

**8** 全角

 幅の広い全角は、プログラムには使いません。

 同じ「8」でも、幅のせまいものと広いものがあるんですね。

　Pythonで**数字や記号を入力するときは、必ず縦長の半角の文字**を使ってください。半角の文字を入力するには、次のようにします。

- **パソコン**

「**英数**」キーか「**半角/全角**」キーを押します。

- **スマートフォンやタブレット**

フリック入力でなく、**英字キーボード**を使います。

プログラムを書き換えたり、入力したりする前に、必ずこの**入力文字の切り換え**をするようにしましょう。

半角の文字を入力できるようにしたら、プログラムを書き換えてみましょう。コラボラトリーでプログラムを書き換えるには、変更する場所の近くをタップするか、マウスでクリックします。

タップやクリックした位置で、**たて棒**が点滅しているのが見えるはずです。これは**カーソル**というものです。カーソルのある位置に文字を入力していきます。

```
# 計算を書き換えてみよう
1+2+3-4
```

└── カーソル

ちょうどいい位置にカーソルが表示されない場合は、方向キーなどを使ってカーソルの場所を変えてください。

Webブラウザでネットのサービスに文字を入力するときと、同じ方法を使ってプログラムを書けるんですね。

ここでは「−（引く）」と「4」の間にカーソルを置きます。そして、「−（引く）」の1文字を消して、「＋（足す）」を入力すれば、式の結果が10になるはずですね。

うまく書き換えられたら、もう一度実行ボタンを押してください。セルのプログラムを実行して、Pythonに計算してもらいましょう。出力セルに「10」と表示されたら、書き換え成功です。

> プログラムを、「読む」「動かす」「書き換える」。これをくり返すのが、
> プログラムを書くための第一歩です。

　書き換えたプログラムは、保存をすることができます。コラボラトリーでは、ク
ラウドにプログラムを保存して、あとで読み込んで、読み返したり、動かしたりす
ることもできます。また、勉強を途中でやめるときには、プログラムをいったん保
存すると、続きができるので便利です。詳しい方法を知りたい人は、p.276からの
Appendixの「A-1」を読んでみてください。

## column
### まちがえたとき、エラーが出たときは

　プログラムを書き換えて実行すると、**エラー**が出てしまうことがあります。た
とえば、計算の記号を打ち込むとき、うっかり**全角**の文字を使ってしまったとし
ます。そうすると、Pythonがプログラムを読めなくなってしまい、エラーが発生
します。エラーが起こると、実行ボタンが赤くなるので分かります。

#### エラーになったときのコラボラトリーの画面例

```
# 計算を書きかえてみよう
1+2+3＋4

    File "<ipython-input-5-80fc66253984>", line 2
    1+2+3＋4
          ^
SyntaxError: invalid character in identifier

SEARCH STACK OVERFLOW
```

　エラーが起こっても、あわてることはありません。プログラムを直して、もう
一度実行すればいいのです。プログラムを直すために一番簡単な方法がありま
す。プログラムを**前の状態に戻す**のです。
　まず、エラーが起こったセルをタップまたはクリックします。そのあと、パソ
コンを使っている人は、コラボラトリーの画面の上部にある「**編集**」メニューから
「**取り消す**」を選びます。タブレットやスマートフォンでは、キーボードにある「取
り消す」ボタンをタップします。プログラムがもとに戻ったら、もう一度注意し
て書き換えてみましょう。

# 1-2 Pythonで計算をしよう

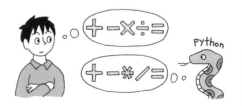

## 1-2-1 Pythonに計算をしてもらおう

○ 数と計算は、プログラミングの基本です。

　前の節では、コラボラトリーを使って、Pythonで簡単な計算をしましたね。**計算**はプログラミングの基本です。でも、計算とプログラミングの間にどんな関係があるのでしょうか？ この本を読んでいるみなさんは、まだどうつながっているのか想像できないかもしれませんね。

　現代のコンピューターはとても高機能です。私たちは、リアルなCG画像や、まるで人間のように振る舞うAIに囲まれて暮らしています。それでも、コンピューターが産み出すものは、すべて計算によって作られています。計算によってリアルな世界が作り出される秘密は、この本を読んでいくと少しずつ分かってくると思います。

　まずは、Pythonで計算をする方法を学び、計算の秘密を解き明かす旅の第一歩をふみ出しましょう。

### ◆ 算数の四則演算をしてもらう

　Webブラウザを使って、コラボラトリーの「**プログラム1-2**」のページを開いてください。開いたら、p.12と同じ手順でプログラムを動かしてみましょう。

アドレス欄に入力する文字　　　　　　QRコード

**qrtn.jp/jnb8xvz**

どちらからでも、次のURLにアクセスできます。

URL https://colab.research.google.com/github/shibats/mpb_samples/blob/main/
ch01/code_1_2.ipynb

「ログイン」ボタンが表示されている人は、ログインしてから進んでくださいね。

　入力セルに書いてある、Pythonのプログラムを見てみましょう。1つ目の入力セルの1行目、#からはじまるコメントに「**# かけ算を使う**」と書いてあり、2行目にプログラム（計算式）が入っています。コメントを読むと分かるとおり、これは**かけ算**を使った計算のプログラムです。コメントには、プログラムを読む**ヒント**になることが書いてありますので、よく読むようにしましょう。

```
# かけ算を使う
2*4+3-1
```

この記号はなんだろう？

星のように見えますね。**アスタリスク**という記号です。

　最初の「2」の次にある「*（アスタリスク）」という記号は、Pythonで**かけ算**をするときに使う記号です。このプログラムは、「2×4+3−1」という計算をするプログラムなのです。

　実行ボタンを押して、Pythonの計算結果を確かめてみましょう。

10

実行ボタンを押して、警告が表示されたら、
「このまま実行」ボタンを押せばいいんでしたね。

その通りです！

出力セルに、「10」という計算結果が表示されましたか？ このくらいの計算でも、まだ暗算できる人がいると思います。

それでは次に、2つ目の「**# かっこを使った計算**」と書いてあるセルを見てみましょう。

```
# かっこを使った計算
(3-1)*4+2
```

**丸かっこ( )** を使った計算をするプログラムです。学校で習う計算と同じように、**丸かっこの中を先に計算**します。ここでは「3-1」を先に計算してから、「2×4」を計算して、最後に「2」を足すので、この計算結果も10になります。実行ボタンを押して確かめてみましょう。出力セルに「10」と表示されましたね。

10

Pythonで計算（四則演算、＋・－・×・÷）に使う記号は、**2つのグループ**に分けることができます。1つは、みなさんが学校で**習ったのと同じ記号**です。半角の記号としてキーボードなどから入力する場合、できるだけ同じ記号を使うようになっています。もう1つは「×」のような記号です。プログラムで使う半角の記号として入力できないので、かわりに**似た記号の「\*」**を使います。

Pythonで計算（四則演算）をするために使う記号には、こんな種類があります。

### 学校で習うのものと

| 同じ記号 | | ちがう記号 | |
|---|---|---|---|
| + | 足し算 | \* | かけ算 |
| - | 引き算 | / | 割り算 |
| ( ) | 丸かっこ | | |

\* は**アスタリスク**といいます。

/ は**スラッシュ**といいます。

覚える必要があるのは「ちがう記号」だけです。プログラムを読んでいるうちに、自然と覚えてしまいますので、ムリに暗記する必要はありません。

### チャレンジしよう

計算の式を書き換える練習をしてみましょう。コラボラトリーの「プログラム1-2」にある、下の2つの計算プログラムを見てください。どちらも**10になりません**。実行ボタンを押して、セルを実行すると分かります。

答えが10になるように、計算の式を書き換えてみてください。数の順番を変更してはいけません。コメントがヒントです。

#### チャレンジ 1

```
# 記号を1つだけ書き換える
3+2*4*1
```

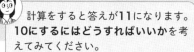
計算をすると答えが11になります。**10にするにはどうすればいいか**を考えてみてください。

#### チャレンジ 2

```
# かっこを足す
3-1*4+2
```

コメントにあるように、**丸かっこを足してみましょう**。先に計算をする部分を作ると、10になります。

丸かっこは、はじめの「(」と終わりの「)」を、必ず**ペア**にして書くようにしますよ。

もっと書いてみたいと思う人は、次のことにもチャレンジしてみてください。

#### ＋追加チャレンジ

2、2、3、3の4つを使って、10になる計算式を作る

コラボラトリーの下にある空の入力セルに、自分で式のプログラムを書いて、実行してみてください。答えが10になったら正解です。

「2、2、3、3」で10になる式を作るの、むずかしいです。

そういうときは、「ちょっとずつ書く」「実行する」をくり返してみるといいですよ。

たとえば、まず「2＋2」と書いて実行すると、答えが4になります。残りの数で6を作る方法を考えて、式を書き足してみるといいのです。

その方法なら、なんとかできそうですね！

**試しながら書き換える**ことは、プログラミングでとても重要です。

---

答え

- チャレンジ1：最後の「*」を「-」に変えて、「3+2*4-1」にします。
- チャレンジ2：かっこを足す：最初の引き算を丸かっこで囲んで「(3-1) *4+2」にします。
- 追加のチャレンジの答え例：2+2+3+3、2*2+3+3、2* (3+3) -2、3*3+2/2、など。

# 1-3 変数を使おう

💻 **この節の目的**

変数のいちばん基本的な使い方を学びます。

🔍 **この節で分かること**

- ✓ 変数の意味といちばん基本的な使い方
- ✓ 変数で計算をする方法
- ✓ プログラムの「書きはじめ方」

## 1-3-1 変数ってなんだろう？

数に「名前」をつけると、ろいろな「ものごと」を表現できるようになります。

　人間が計算をするとき、たいていは数を使って「1＋1」のような式を作りますね。数と記号を見ながら、暗算をしたり、筆算をしたりして答えを計算します。

　でも、Pythonのプログラムで計算をするときは別の方法を使います。先ほどのテンパズルの例にあったような方法はあまり使われないのです。Pythonでは、数のかわりに変数というしくみを使って式を作ります。

　変数について学ぶために、コラボラトリーで「**プログラム1-3**」を開きましょう。

> **アドレス欄に入力する文字**
>
> qrtn.jp/p8awryn
>
> **QRコード**

どちらも、次のURLのアドレスにアクセスし、コラボラトリーの「プログラム1-3」の画面が表示されます。

URL https://colab.research.google.com/github/shibats/mpb_samples/blob/main/ch01/code_1_3.ipynb

変数は、よく「箱」にたとえられます。箱には**名前**がついています。箱に「名札」のようなものがはってあると思ってください。そこに名前が書いてあるのです。

Pythonのプログラムでは、計算に使う**数**は、最初に**変数**に入れます。Pythonで変数に数を入れるには、次のようにします。

```
# たてが7
たて = 7
```

 算数の計算では、＝の左に計算式を、右に答えを書きます。計算では、数の流れが右向き（→）ですよね。

Pythonで変数に数を入れるときは、向きが逆（←）になるんです。

これは「プログラム1-3」の一番目の入力セルです。このプログラムの実行ボタンを押して、実行してみてください。ここまでの計算式と違って、出力セルにはなにも表示されません。このプログラムは、変数「たて」に数の「7」を入れるだけで、**計算をしない**からです。計算の結果がないので、出力セルに表示されません。

ところでこれは、Pythonを知っている人が見ると「おや？」と思うプログラムです。なぜなら、普通のPythonのプログラムでは、**半角の英語や数字、記号**などを使って**変数の名前**をつけるからです。「たて」ではなく「height」のように、英語の名前をつけるのです。

変数に日本語の名前をつけている理由は「読みやすいから」です。プログラムを読むとき、言葉の意味に集中できるのです。みなさんがPythonのプログラムに慣れるまでは、日本語の変数を使って学んで行きましょう。慣れてきたら、英数字を使った変数に切り替えていきましょう。本書でも慣れてきた第2章の「2-2」節からは英数字を使うようにします。

次に、2つ目のセルを見てみましょう。これは、「よこ」という名前の箱に「10」という数を入れるプログラムです。実行してみてください。

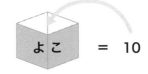

```
#よこが10
よこ = 10
```

これで変数「たて」の箱の中に「7」が入り、変数「よこ」の箱の中に「10」が入ったことになります。

この状態で、続けて3つ目のセルを実行してみましょう。

```
# たて × よこ
たて * よこ
```

**実行結果**

```
70
```

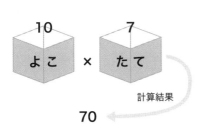

計算結果

出力セルに、70という数が表示されました!

「たて」と「よこ」の2つの変数に入っている数を使って、かけ算をした答えが出力されているのがわかりますね。

Pythonのプログラムでは最初に、**変数を使って数に名前**をつけます。次に、変数を使って**計算式**を作ります。すると、変数の中に入れた数を使って、Pythonが式の計算をしてくれるのです。

でも、なんでわざわざ数に名前をつけるのでしょうか。いくつか理由があります。名前をつけると**人間にとって読みやすくなる**、というのが理由の1つです。コンピューターが見ている世界は、**数**と**計算**だけでできた純粋な世界です。数と計算の手順だけが、コンピューターにとって必要なすべてです。

しかし、人間は**意味**を求める生き物です。数と式だけを読んでも、具体的になにをやっているのか、人間には理解ができません。数と式には、具体的な意味がないからです。

変数を使って数に名前をつけると、**数の持っている意味**が人間にも分かるようになります。たとえば、「36」という数字も、「体温」や「気温」という変数に入れると意味が分かりますよね。

Pythonのような**プログラミング言語**のいいところは、プログラムの読み方を覚えてしまえば、人間にも意味が通じるような書き方ができるところです。

**数に名前をつける。**これが変数のもっとも基本的な使い方です。

そして、人間にも意味が分かる変数を使えば、お願いしたい**計算の手順**をコンピューターに伝えることができます。

▶️ 数に名前をつけて意味が分かるようにする

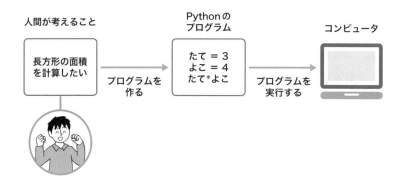

Pythonは、人間とコンピューターの**橋渡しをしてくれる「ことば」**なのです。

## 1-3-2 プログラムの読み方

○プログラムを読むときは、変数の名前をたどろう。

　これまで見てきたPythonのプログラムは、どれも1行だけしかありませんでした。実際には、プログラムは続けて何行も書いていきます。最初から長いプログラムを読むのは大変ですから、まずは短いプログラムで、プログラムを上手に読む方法を学びましょう。

　先ほど開いたコラボラトリーの「プログラム1-3」の「プログラムの読み方」にある、「# 変数と計算」とコメントしている入力セルを見てください。変数の名前やコメントを見ると、だいたいの内容が分かりますね。このプログラムが、実際にどんな計算をするのか、次の図に書いていることに注意しながら読んでみてください。

■▶ プログラムを読むときに注意すること

1) プログラムは、**上から下に読んでいきます**。横書きの文章と同じですね。

```
#変数と計算
時給 = 1500
時間 = 10   #働く時間

時給 * 時間 # 給料を計算
```

ここは、**変数を使って数に名前をつけている**部分です。

ここでは、かけ算の計算をしていますね。

2) **変数**がいくつかあるときは、**同じ名前を追うようにする**と、計算の意味が分かりますよ。

　実は、Pythonも人間と同じように**プログラムを読みながら実行**するのです。上から下にプログラムを読み、変数に数を入れたり、計算をしたりしながら、プログラムを実行してゆくのです。

　それぞれの行でPythonがどんなことをするのか、プログラムを読みながら考えてみてください。「時給に1500が入って…」というように、言葉に置き換えながら読むといいと思います。そして、計算結果がどうなるかを、頭の中に思い浮かべてみてください。

そうしたら次に、セルを実行してみましょう。出力セルに「15000」という数が表示されるはずです。時給1500円で10時間働いたときの給料が計算できました。

　コラボラトリーでは、セルの最後に計算式があると、答えが表示されます。テンパズルのときと同じですね。

**プログラムが読めれば、書き換えることができるようになります。**

　まずは、プログラムをどんどん読んで、慣れていきましょう。そして、意味が分かったら、どう書き換えられるか考えてみましょう。

### チャレンジしよう

　次の問題を見ながら、先ほどの「プログラムの読み方」にある「# 変数と計算」のプログラムを書き換えてみましょう。

**チャレンジ ①** 「働く時間」が「15時間」になったときは、どのようにプログラムを変えればいいでしょうか。

**チャレンジ ②** 「時給」が「1820円」になったときは、どのようにプログラムを変えればいいでしょうか。

**数が変わる**、というのがポイントですよ。

### 答え
- チャレンジ1：3行目、「時間」という変数に入れる数を「15」にする。
- チャレンジ2：2行目、「時給」という変数に入れる数を「1820」にする。

## 1-3-3 プログラムの書きはじめ方

なんでも数にすること。これがプログラムの出発点です。

コンピューターは基本的に数の計算しかしません。計算はなんのためにするのかというと、**答えを知る**ためにするのです。現代ではいろいろな答えを知るために、コンピューターを使いますね。言葉の意味を調べたり、行きたい場所までの道順を調べたり。そんなときも、コンピータの中では計算が行われています。

コンピューターが答えを出すためには、知りたい**問題の出発点となる数**が必要です。その数を使って、決められた手順にしたがって**計算**をします。計算した結果を、**答え**とします。これが、**プログラムが動く基本的なしくみ**です。

■ プログラムが動く基本的なしくみ

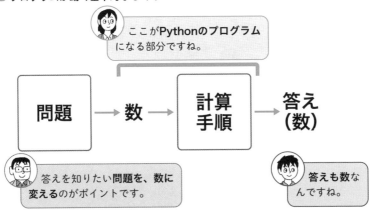

知りたい答えがあるときは、まず、**問いになるものごとを数にします**。数にできたら、その**数字に意味を持たせるために名前をつけます**。人間がプログラムを読み書きしやすいように、名前を持った**変数に数を入れる**のです。

問題を**数に変えて変数に入れる**ことが、プログラムの出発点になります。

ここで、ちょっと練習してみましょう。次の問題を、Pythonのプログラムを作って解いてみましょう。

**横**が200メートル、**縦**が400メートルの長方形の小麦畑があります。この畑から、1年間で何Kgの小麦が収穫できるかを計算してください。
ただし、1平方メートルあたりの小麦の**収量**は年間0.4Kgとします。

　問題を解くプログラムを書くのに、出発点となる情報はすべて問題文に書いてあります。たとえば、数を入れるために使う**変数の名前**は、問題文から拾うことができます。問題文の太字になっている部分を名前にして、変数に数を入れてみましょう。コラボラトリーの「プログラム1-3」では、「プログラムの書きはじめ方」の入力セルに次のように入力してあります。

```
# 小麦畑を変数にする
横 = 200
縦 = 400
収量 = 0.4
```

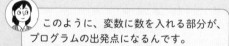

このように、変数に数を入れる部分が、プログラムの出発点になるんです。

なるほど

次に、小麦の収穫量を計算する式を作ってみましょう。次のセルです。

```
# 小麦の収穫量を計算
横 * 縦 * 収量
```

面積に、小麦の収量をかけます。

ここで面積を計算します。

　この流れが、プログラムの作り方の基本です。コラボラトリーの「プログラムの出発点」にある「# 小麦畑を変数にする」と「# 小麦の収穫量を計算」のセルのプログラムを順番に実行して、答えを計算してみましょう。

```
32000.0
```

「32000.0」と表示されましたね。この畑から、1年に3万2千Kgの小麦が収穫できることが分かりました。計算結果に小数点がついていますね。くわしい理由はこの段階では少しむずかしいのですが、簡単に言うとPythonはとても几帳面だからです。

1人の人間は、1年間に小麦をどのくらい食べるでしょうか？ 1人あたりの年間小麦**消費量**を150Kgとしましょう。この畑から収穫できる小麦は、何人分になるでしょうか。計算式のプログラムを書いて、答えを出してみましょう。

```
# 小麦を何人で食べるか
消費量 = 150  # 小麦の消費量
横 * 縦 * 収量 / 消費量
```

 小麦の**消費量の変数を追加**して、**小麦の収穫量の式**に、**小麦の消費量**で割る計算を追加しました。

**実行結果**

```
213.33333333333334
```

 変数が多くなってきましたね。

 変数の名前をよく追いながら、プログラムを読んでみてくださいね。

コラボラトリーの「# 小麦を何人で食べるか」のセルを実行すると、約213人分の収量になることが分かるはずです。

他にもいろいろな計算ができます。たとえば、人口が増えて、畑の収穫で養う必要のある人数が250人に増えたとしましょう。このままでは小麦が足りません。収穫量を増やす必要があります。

収穫量を増やすためにまず考えられるのは、畑の面積を広げる、という方法です。「横」や「縦」のような変数に入る数を変えて計算をすれば、畑をどのくらい広げればいいのかが分かります。作物を、もっと収量の高い稲のような種類に変える、という方法も考えられますね。そのときは、どの変数を変えればいいでしょうか。「収量」という変数ですね。たとえば稲の場合、1平方メートルあたり0.6Kg収穫できるとします。この数を、変数に入れればいいのです。

このように同じ計算式でも、数（変数）を変えて計算をすると、より多くのことが分かります。計算して出てきた数を使って他の計算を行うと、より深い答えを得ることができます。

とは、簡単に言うとこういうことです。

　私たちは、いろいろな種類の数に囲まれて暮らしています。生活の中には、ものごとの度合いや程度を「量」で表現するための数がたくさんあります。たとえば、次の図のようなものが考えられますね。

　このような量の数は、たいていどれもプログラムの出発点として使うことができます。わたしたちの身の回りには、他にもたくさんの量の数があります。みなさんも自分で見つけてみてください。

　量の数は、答えを出すために**計算**にかけられます。計算をすることで、本当にいろいろな問題への答えを出すことができるのです。

　数を計算することは、コンピューターが仕事をするときの基本です。高度なAIも、ゲームに使われるリアルな3Dグラフィックもすべて、コンピューターが数を計算することで成り立っているのです

　次の章では、Pythonのプログラムで実行する計算について、より深く学んで行きましょう。**「数」と並ぶプログラミングのもう1つの基本「計算」**について学べば、Pythonでできることがグンと広がりますよ。

# 関数と計算

> プログラムの書きはじめ方について分かったら、次は
> プログラムを「続ける方法」を学びましょう。そのため
> に、この章では次のようなことを学びます。

▷ 変数のより便利な使い方
▷ 関数とはなにか
▷ 関数の使い方
▷ プログラムを続けて書く方法

# 2-1 関数ってなんだろう

🖥 **この節の目的**

計算を簡単にするしくみ「関数」について学びます。

🔑 **この節で分かること**

- ✓ 変数のよりくわしい使い分け
- ✓ 関数とはなにか
- ✓ 関数の作り方

## 2-1-1 変えられる数、変えられない数

プログラムの中の変数や数の「種類」を見分けられるようになろう。

「変数」は英語で「variable（バリアブル）」といいます。「変えられるもの」という意味のある単語です。第1章の最後で、変数の中に入れる数を書き換えてみたみなさんは、この言葉が持つ意味を、なんとなく理解できるのではないでしょうか。

Pythonの変数は、使われ方によっていくつかの種類に分けることができます。**変数に入れる数は「変えられるもの」と「変えられないもの」がある**のです。言葉としては「変えられるもの」なのに、「変えられないもの」があるというのは、ちょっとややこしいですね。変数が「変えられる」か「変えられない」かを見分けられるようになると、プログラムの持つ意味をもっと深く読めるようになります。

この章でも、プログラムを見ながら変数の種類について学んでいきましょう。Webブラウザを使ってコラボラトリーにアクセスしましょう。

---

**アドレス欄に入力する文字**　　**QRコード**

qrtn.jp/4stgxvp

どちらも次のアドレスにアクセスでき、コラボラトリーの「**プログラム2-1**」の画面が開きます。

URL https://colab.research.google.com/github/shibats/mpb_samples/blob/main/ch02/code_2_1.ipynb

「プログラム2-1」の画面を開いたら、最初のセルのプログラムを見てみましょう。

```
# 移動時間の計算
距離 = 1200   # 東京 - 福岡（単位はKm）
時速 = 200    # （平均）速度（単位はKm/時）
距離 / 時速   # 計算して結果を出力する
```

#からはじまる、コメントをよく読むようにしてくださいね。

**実行結果**

6.0

距離を時速で割るのだから、**移動にかかる時間**を計算しているのかな？

コメントと、変数の名前をよく見ると、東京から福岡までの移動時間を計算するプログラムであることが分かります。時速**200Km/時**ということから、新幹線を使っていることが想像できますね。

このセルを実行すると、出力には「6.0」という数が表示されるはずです。東京から福岡まで、新幹線でだいたい6時間くらいかかることが分かりました。

このプログラムには、いくつか数がありますね。変えるとしたら、**どの数を変えますか？** 東京から福岡までの**「距離」は変えることができません**。距離を変えるとなると、未来の超技術が必要になりそうです。

「時速」はどうでしょうか？ この数は**変えることができます**。たとえば、新幹線のかわりに、飛行機を使って移動するとします。平均速度を**600**（Km/時）として、セルを次のように書き換えてみましょう。

```
# 移動時間の計算
距離 = 1200 # 東京 - 福岡（単位はKm）
時速 = 600  # （平均）速度（単位はKm/時）
距離 / 時速 # 計算して結果を出力する
```

ここの数だけを書き換えてみてくださいね。

```
2.0
```

　書き換えたら、セルをもう一度実行してください。出力セルには「2.0」という数が表示されましたね。飛行機で移動すると、東京から福岡まで2時間ほどで行ける、ということが分かりました。

Pythonの変数には、中に入れる数を**「変えられるもの」**と、
**「変えられないもの」**があります。

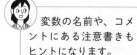

変数がどんな意味を持っているのか、計算でどんな使われ方をしているのかを考えながら読むと、変数の中の数を**変えられるかどうか**が分かります。

変数の名前や、コメントにある注意書きもヒントになります。

　ここで変数に入れる数を変えたときに、**目的を持っていた**ことに注目してください。「目的地までもっと速く行きたい」とか「飛行機での移動時間を知りたい」とか、**具体的な目的**を持って、プログラムの数を書き換えました。

　プログラムには、必ず目的があります。プログラムの結果を、目的に近づけるために使う**変えられる数が入っている変数**を、まず見つけるようにしましょう。そのような変数は、プログラムの中でとても大事な意味を持っています。今回は、「時速」という変数がそうでしたね。この変えられる数の入る変数を見つけることが、プログラムを読むときのコツです。

　プログラムを読みながら、変えられる数が入っている変数を見つける練習をしてみましょう。

　「プログラム2-1」の2つ目のセルを見てください。コメントと変数名を見ると、三角形の面積を求めるプログラムということが分かりますね。では、このプログラムで**変えられる数**はどれでしょうか。

```
# 三角形の面積
底辺 = 10
高さ = 6
面積 = 底辺 * 高さ / 2
```

変えられるのは、この2つだと思います。

　「底辺」と「高さ」の2つが、**変えられる数を入れるための変数**です。いろいろな種類の三角形の面積を求める、という目的で、この2つの変数にはいろいろな数を入れるのです。

　ところで、最後の行にある「面積 =」のような書き方は、はじめて見ますね。この行だけ抜き出して、少し説明しましょう。

　「面積 =」の部分までは、「変数に数を入れる」のと同じ書き方です。＝（イコール）の右側には、**数ではなく計算式**が書いてあります。

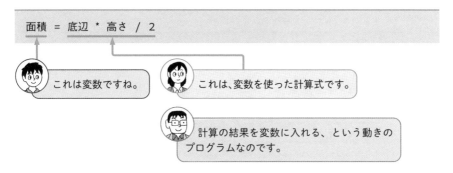

　この部分は、「式そのもの」を、変数に入れているように見えるかもしれません。でも、変数「面積」に入るのは、そのとき「底辺」や「高さ」に入っている数を使った**計算結果の数**です。これが大事なポイントです。

> **Python**は、プログラムの行を読んで実行したときだけ計算をします。

　この「# 三角形の面積」というセルを実行しても、出力セルには何も表示されません。**計算結果が変数に入ってしまう**からです。面積の数を知るには、「面積」という変数に入っている数を見ればよいことになります。

　変数の中、つまり入っている数を見たいときは、入力セルに変数の名前だけを書きます。これでセルを実行すると、変数の中に入っている数が、出力セルに表示されます。次の「# 三角形の面積を確認（表示）」のセルを実行して、計算結果を確認してみましょう。「30.0」と表示されるはずです。

```
# 三角形の面積を確認(表示)
面積
```

30.0

　もう1つ、「変えられる数」の入った変数を見つける練習をしてみましょう。「プログラム2-1」の「# 円の面積」のプログラムを読んでください。そして、変えられる数の入っている**変数の名前**を答えてみてください。

```
# 円の面積
半径 = 3          # 半径
円周率 = 3.14   # 円周率(π, パイ)
面積 = 半径 * 半径 * 円周率
```

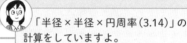
「半径×半径×円周率(3.14)」の計算をしていますよ。

計算の結果は、この変数に入ります。

「半径」が、変えられる数の入っている変数です。

　チャレンジは答えられたでしょうか？ 円の面積を求めたいとき、変わるのは「半径」だけです。「円周率」に入る数が変わったら、世界中が大騒ぎになってしまいます。計算の種類によって、変えられる数の個数は変わるのです。
　「# 円の面積」というプログラムでも、計算結果は変数に入っています。計算結果の入っている変数の名前は分かりますね。そう、「面積」という名前の変数です。このセルを実行して、半径が3の円の面積を計算してみましょう。実行したら、この変数に入っている数を確認するために、次のセルを実行します。

```
# 円の面積を確認(表示)
面積
```

28.26

「28.26」という数が出力セルに表示されましたね。

余裕のある人は、プログラムの中にある**変えられる数**をいろいろに書き換えて、プログラムを実行してみましょう。結果を確認するためには、「# 円の面積を確認（表示）」のセルを実行してください。

---

📜 **column**

### 変数と法則

ガリレオの発見した「ふりこの法則」の話をしましょう。

「長さ」「重さ」「振れる幅」を量の数にすると、ふりこの特徴を数で表現できます。このうち、ふりこの「往復時間」に影響を与えるのはどの数でしょうか。

ガリレオは、ふりこの往復時間をコントロールするための**変数は長さ**だ、ということを発見したのです。逆に考えると、結果を変えるには、変数である「長さ」を変えればいい、ということになります。

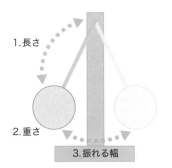

1.長さ

2.重さ

3.振れる幅

長くなればゆっくり揺れる。重くなればゆっくり揺れる。揺れる幅が増えても、ゆっくり揺れる。だから、全部です！

実は、**長さ**だけなんです。

これは大発見でした。この法則から「1秒」を正確に測るしくみ」が手に入ったからです。それまでの時計は、1日に何時間もズレる不正確なものでした。ガリレオの発見から、さまざまな人がその利用方法を考えて、それまでよりはるかに正確に時間を刻む振り子時計の発明につながったのです。

時間は、いろいろな「**ものごと**」を計測するときの基準になります。より正確な時計を使えるようになると、科学者たちはいろいろな現象を計測して、**量の数**に変えることができるようになりました。

量の数で表現できるものごとが増えることで、さらにいろいろな法則が発見されます。ガリレオの発見は、科学の発展にとても大きな役割を果たしたのです。

## 関数ってどんなもの？

計算に名前をつける。それが関数の基本です。

プログラムで計算をする目的はなんでしょうか。**「変えられる数」を計算式にかけて、知りたい答えを得ること**。これがプログラムで計算をする目的です。

プログラムを書くのに慣れていないと、長いプログラムになってしまいがちです。プログラムはできるだけ短くスッキリしたものにできると、読みやすく、また書きやすいプログラムになります。

Pythonのプログラムを読みやすく、書きやすくするために使われるのが「関数」です。ここではまず、関数がどのように動くのかを見てみましょう。そうすれば、関数がどんなものかがよく分かるはずです。

コラボラトリーで「**プログラム2-2**」を開いて、関数のしくみと作り方について学んでいきましょう。

どちらも、次のアドレスにアクセスできます。

URL https://colab.research.google.com/github/shibats/mpb_samples/blob/main/ch02/code_2_2.ipynb

「プログラム2-2」のページを開いたら、最初のセルを見てください。前の「プログラム2-1」の最後に読んだプログラム「# 円の面積」に少し似ていますね。

「**def**」という知らない英語が出てきたり、プログラムの**左にすきま**があったり、いろいろ気になるところもありますね。すぐあとで説明しますので、少し待っていてください。

```
# 円の面積を計算する関数を作る
def 円の面積(半径):

    円周率 = 3.14
    面積 = 半径 * 半径 * 円周率
    return 面積
```

 この( )の中の変数は、半径となる数を
入れていた変数と同じ名前です。

 左に「すきま」があるこの部分は、前に見た
プログラムとほとんど同じです。

　このセルを実行してみましょう。出力セルにはなにも表示されませんが、気にせずに次のプログラムも実行してみてください。

```
# 半径3の円の面積を計算する
円の面積(3)
```

**実行結果**

```
28.26
```

　出力セルに「28.26」という数が表示されました。この数は、先ほど円の面積を計算したときと同じです。「( )」(丸かっこ)の中に入っている「3」という数を半径に持つ円の面積が計算されて出てきたのが分かります。

　「円の面積」という文字のあとの( )の中に数が入っていますね。このプログラムの書き方もはじめて出てきました。でも、「円の面積を計算している」ということは**読むだけで分かります**。( )の中にある数が円の半径であることも、だいたい想像がつきます。これは大事なポイントです。

　「def」という英語からはじまるプログラムについて説明します。このプログラムは、前に見た「# 円の面積」というプログラムが元になっています。変数の名前に注目しながら、2つのプログラムを比べてみましょう。

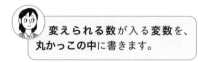

変えられる数が入る変数を、
丸かっこの中に書きます。

```
def 円の面積(半径):           半径 = 3
    円周率 = 3.14              円周率 = 3.14
    面積 = 半径 * 半径 * 円周率   面積 = 半径 * 半径 * 円周率
    return 面積
```

**関数**　　　　　　　　**ふつうのプログラム**

計算結果の入る変数が、ここにあるのも
覚えておいてください。

左側のような書き方を関数といいます。

　　計算をするためのプログラムに名前をつけることで、関数を作ります。

Pythonで「関数を作る」とは、こんなイメージです。

**関数の名前**

```
def 円の面積(半径):
    円周率 = 3.14
    面積 = 半径 * 半径 * 円周率
    return 面積
```

プログラムを、名前の中に
入れてしまう感じです。

1行目の右端にある記号
:(コロン)が、イコールと似
た役目を持っているのです。

＝を使って、変数に数を入れるのにちょっと
似ていますね。

## 2-1-3 関数のルール

○─ 関数を「作るとき」と「使うとき」のルールを覚えましょう。

関数を作ることを定義するといいます。関数を定義するには、いくつかルールがあります。大事なことだけ説明しましょう。

### ◈ 関数を定義する（作る）ときのルール

関数を作るための基本は、**計算に名前をつける**ことです。関数の名前や引数、関数の中に入る計算をPythonに教えるために、いろいろなルールがあります。

関数を定義するには最初に「def」を書き、そのあとに関数の名前を書きます。名前の後ろの( )内には変数が入ります。計算に使う、変えられる数の入る変数です。この変数には「**引数（ひきすう）**」という特別な名前がついています。このあとでくわしく説明します。

( )の後ろには：（コロン）を書きます。そして、計算をするためのプログラム全体は、左側を字下げ（インデント）して空けて1まとまりに見えるようにします。ルールをまとめると次のようになります。

**▶ 関数を定義するルール**

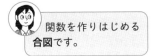

関数を作りはじめる**合図**です。

defは、**define**（定義する、作る）という意味の英語を短くしたものです。

```
def 円の面積(半径)：
    円周率 = 3.14
    面積 = 半径 * 半径 * 円周率
    return 面積
```

これは**変えられる数**が入る**変数**ですね。

関数にしたいプログラムは、左を空けて書きます。

左を空けることを**インデント**といいます。

## ◈ 関数を呼び出す（使う）ときのルール

　こうして一度作った（定義した）関数は、プログラムで使うことができるようになります。関数を使うことを**呼び出す**といいます。

　Pythonで関数を使うときにも、書き方にルールがあります。関数の名前に続けて「( )丸かっこ」を書きます。( )の中には変えられる数となる数を書きます。これが、関数を呼び出す（使う）ときのルールです。

　関数を呼び出したとき、関数の中に入れたプログラムは次のように動きます。

🏷 **関数を呼び出したときの動き**

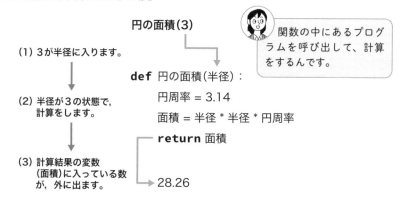

**円の面積(3)**

**def** 円の面積(半径)：

円周率 = 3.14

面積 = 半径 * 半径 * 円周率

**return** 面積

28.26

(1) 3が半径に入ります。

(2) 半径が3の状態で、計算をします。

(3) 計算結果の変数（面積）に入っている数が，外に出ます。

> 関数の中にあるプログラムを呼び出して、計算をするんです。

## ◈ 関数の部品の名前

　おさらいをしましょう。関数を作るときに使う部品には名前がついています。「def」は関数の定義をはじめる合図です。次に「関数名」を入力し、そのあとに( )でかこんで、変えられる数になる変数を入れます。この変数のことを「引数（ひきすう）」と呼びます。

　最後に「return」とあるのは、計算式で**計算した結果を関数の外に出す**ための書き方です。ここでは「面積」という変数に入った計算結果を、関数の外に出しています。関数の外に出る数は「戻り値（もどりち）」といいます。

▶ 関数の書き方のおさらい

 関数の名前です。**関数名と**もいいます。

 変えられる数の入る変数です。**引数（ひきすう）**といいます。

**def** 円の面積（半径）：

　　円周率 = 3.14

　　面積 = 半径 * 半径 * 円周率

　　**return** 面積

 計算の答えとして、関数の外に出る数の入った変数です。**戻り値（もどりち）**といいます。

　コラボラトリーの「プログラム2-2」の次にある「# 三角形の面積（2）」のセルに、三角形の面積を計算するプログラムがあます。これを関数にしてみましょう。変えられる数の入っている変数を、よく見分けるのがポイントです。関数にしたのが「# 三角形の面積を計算する関数」のセルです。

 変えられる数が入る変数に注目します。

**# 三角形の面積（2）**

底辺 = 10

高さ = 6

面積 = 底辺 * 高さ / 2

　　↓ 関数にする

**# 三角形の面積を計算する関数**

 変えられる数が入る変数を、引数にします。

**def** 三角形の面積（底辺, 高さ）：

　　面積 = 底辺 * 高さ / 2

　　**return** 面積

　**計算結果**

 計算結果（面積という変数）を、戻り値として外に出します。

三角形の面積の計算には、変えられる数が2つありますね。同じように、関数の引数も2つあります。引数の数は、どんな計算をしたいかによって変わるのです。

> **関数では、変えられる数の入る変数が、引数（ひきすう）になります。**
> **引数が2つ以上あるときは、「,（カンマ）」で区切って並べて書きます。**

　関数の中では、引数を使って計算をします。計算の結果は、戻り値（もどりち）として関数の外に出されます。このようなしくみを使うことで、関数を使って計算を行うことができるのです。

　関数を作ると、呼び出して使えるようになります。「# 三角形の面積を計算する関数」のセルを実行してください。これで関数が作られます。

　関数を作ったら、次の「# 関数を使って三角形の面積を計算する」のセルで関数を使ってみましょう。「# 三角形の面積(2)」のセルで使ったのと同じ「変えられる数」を引数として書きます。計算結果は同じになるはずです。変えられる数と、計算の内容が同じだからです。セルを実行して確かめてみてください。

```
# 関数を使って三角形の面積を計算する
三角形の面積(10，6)
```

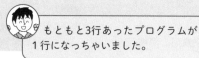
もともと3行あったプログラムが1行になっちゃいました。

**実行結果**

```
30.0
```

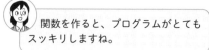
関数を作ると、プログラムがとてもスッキリしますね。

## チャレンジしよう

**チャレンジ❶** 四角形の面積を求める関数を定義したいと思います。［１］から［３］の空欄に入れるのにふさわしいものを、それぞれA、B、Cから選んで答えてください。

```
[ 1 ] 四角形の面積(縦，横):
    面積 = 縦 * [ 2 ]
    return [ 3 ]
```

- ［ 1 ］に入るもの：A. return　　B. 底辺　　C. def
- ［ 2 ］に入るもの：A. 縦　　　　B. 横　　　C. def
- ［ 3 ］に入るもの：A. 面積　　　B. 横　　　C. 縦

**チャレンジ ❷** チャレンジ1で作った関数を使って、縦20、横30の四角形の面積を計算したいと思います。［ 1 ］と［ 2 ］の空欄に、それぞれどんな数を書けばいいでしょうか。数を答えてください。

四角形の面積（［ 1 ］, ［ 2 ］）

**答え**
- チャレンジ1：[1]がC、[2]がB、[3]がA
- チャレンジ2：[1]が20、[2]が30

## column

### 変数や関数の名前のつけかた

「肉と玉ネギ、ニンジン、ジャガイモをいためてから煮て作る」。このレシピを読んで、みなさんの頭には何種類かの料理が思い浮かぶと思います。このレシピを、たとえば「肉じゃが」のような**名前**にすると、それだけでより短く、より的確に、料理の種類を伝えることができます。

言葉の中で、名前はとても大切な役割を持っています。Pythonのプログラムも同じです。プログラムでどんなことをしたいのかを分かりやすく表現するために、いろいろな名前をプログラムに埋め込みます。

Pythonで名前をつけるには、簡単なルールがあります。

#### ● 使えない記号がある

名前に使えない文字が決められています。「+」や「*」、「( )」のように、計算に使う記号は使えません。プログラムにこのような記号があると、Pythonは計算をはじめてしまいます。特別な意味を持った記号は、名前に使うことができないのです。

名前は間を空けずに続けて書く必要があるので、スペースが使えません。名前の中で「面積 三角形」といった間を空けたいときは、「_（アンダーバー）」を名前の区切り入れて「面積_三角形」と書くことがよくあります。

## ● アルファベットではじめる

Pythonのプログラムで使う名前は、世界中の人が読みやすいようにつける必要があります。本書ではここまで、読みやすさを重視して日本語の名前を使ってきました。このような特別な理由がないかぎりは、英字と数字を組み合わせた名前にします。

名前の最初は数字ではなく、アルファベットではじめます。最初に数字を置くと、Pythonは名前ではなく数だと思ってしまうのです。

そして、Pythonでは英字の大文字と小文字を別の文字として考えます。たとえば「ABC」「abc」「Abc」はそれぞれ別の名前としてあつかわれます。

## ● 使えない単語がある

何種類か、使えない単語があります。関数を定義する（作る）ときに使った「def」などがその例です。このような単語を**予約語（よやくご）**といいます。予約語はそんなに多くはありません。以下のURLで予約語を確認できます。

▶ Pythonの予約語

URL https://docs.python.org/ja/3/reference/lexical_analysis.html#keywords

予約語になっていても、「def_tech」のように、単語と他の文字を組み合わせて作れば、変数や関数の名前として使えます。

本書はここまで、読みやすさと分かりやすさを優先して変数や関数に日本語の名前をつけてきました。プログラムを読むことにも慣れてきたと思いますので、ここからは英字と数字を組み合わせた名前を使っていくことにします。

# 2-2 関数の使い方

💻 **この節の目的**

関数の使い方を学んで、もっといろいろなプログラムを作れるようになりましょう。

🔘 **この節で分かること**

✓ 要点をつかんでプログラムを読む方法
✓ 関数の使い方
✓ 関数を「読み込んで」使う方法

## 2-2-1 関数の「分かり方」

└──● 関数を「使えるようになる」には、「使い方」さえ分かればいいのです。

　長い文章を読むとき、最初から最後までじっくりと読むのは時間がかかります。短い時間で文章のだいたいの内容をつかむために、要点だけをザックリと読むことがありますね。

　プログラムも同じです。要点をつかんで読めるようになると、長いプログラムやむずかしい計算をする関数が簡単に読めるようになります。

　関数のかしこい読み方を学ぶために、コラボラトリーの「**プログラム2-3**」を開きましょう。

> **アドレス欄に入力する文字**　　　**QRコード**
>
> qrtn.jp/mbh5un7

49

この短縮URLかQRコードで、次のURLが開きます。

URL https://colab.research.google.com/github/shibats/mpb_samples/blob/main/ch02/code_2_3.ipynb

「プログラム2-3」を開いたら、最初のセルを見てください。むずかしそうな計算をしているプログラムがありますね。関数や変数の名前が、Pythonの名前のルールにしたがって英語になっています。関数の名前は、「test（テスト）」と「score（点数）」をアンダーバー（_）でつなげたものです。

```python
#  むずかしい計算の関数
def test_score(hour):
    #  勉強時間(hour)からテストの点数を計算する
    score = hour * hour * hour * 0.03
    score = score - hour * hour * 1.4754
    score = score + hour * 19.58 + 21.76
    return int(score)
```

このプログラム、むずかしくてまるで読める気がしません。

その感覚は正しいですよ。ムリに読まなくてもいいんです。

関数の中に書かれた計算の内容は、算数のレベルを超えていると感じるかもしれません。このプログラムを読んで計算の内容を理解するのは、なかなかむずかしそうです。

でも、この関数を**使うだけ**なら、関数の中に書いてあるプログラムを**全部細かく読む必要はありません**。関数を使えるようになるのに、プログラムに書いてある計算を完全に理解する必要はないからです。関数の使い方は、関数の計算式の最初にある「#」から右のコメントに書いてありますね。コメントと、関数のルールで覚えたことを合わせると、次のことが分かります。

- 1. 関数の計算に使う**変えられる数（引数）**は**hour（勉強時間）**
- 2. 計算式の中で行われているのは、hour（勉強時間）から**テストの結果（点数）を出す計算**
- 3. 関数で計算されて出てくる**戻り値**は**テストの点数**

「# むずかしい計算の関数」のセルを実行してください。これでtest_score関数が定義できました。次のセルで、定義した（作った）関数を使ってみましょう。引数は「2」で、2時間の勉強をしたという意味です。結果は「55」という数が表示されるはずです。

```
# 2時間の勉強
test_score(2)
```

2時間の勉強だと、55点しか取れないのか。

**実行結果**

55

もっと勉強すれば、100点を取れるかもしれませんよ。

何の勉強か、何のテストかは不明ですが、勉強時間を入れるとテストの点数を計算して、予測してくれる関数らしい、ということが分かりました。

それでは、100点を取るためには何時間の勉強が必要でしょうか？ 次のセルで試してみましょう。引数の数字、つまり勉強時間を変えてみましょう。

```
# 何時間で100点になるか
test_score(2)
```

ここの数を変えながら、セルを何度か実行すればいいんですね。

勉強しすぎると、逆に点数が下がってしまいますから注意してください。

引数に「9」、または「10」を入れると、「100」という結果が返ってきます。自分の手で書き換えながら、プログラムを実行して確かめてみてください。

ここで学んだことを、まとめてみましょう。次の3つのことが分かれば関数は使えます。

- 1. 関数の**引数**（関数の中で変えられる数になるもの）
- 2. 関数の中で行われている**計算**の、だいたいの内容
- 3. 関数の**戻り値**（計算結果として出てくる数の種類）

このような情報を真っ先に読むことが、プログラムの要点を素早くつかむためのコツです。

3つの情報を得るためのヒントが、プログラムにはたくさん書いてあります。特に**コメント**はとても役に立ちます。また、**関数や変数の名前**も、3つの情報を読み解く助けになります。

関数の要点だけをつかんで使う練習を、もう少し続けましょう。「プログラム2-3」の次のセルにある、先ほどの関数とよく似た別の関数を見てみます。

```python
# むずかしい計算の関数(2)
def test_score2(hour, con):
    # 勉強時間(hour)と
    # 集中力(con, 0から100まで)
    # からテストの点数を計算する
    score = hour * hour * hour * 0.03
    score = score - hour * hour * 1.4754
    score = score + hour * 19.58 + 21.76
    score = score * con / 100
    return int(score)
```

関数の名前がちょっと変わって「test_score2」となりました。

さっきの関数より長くなっています。全部読むのは大変そうですね。

コメントや変数名から、要点だけを読み取ってみましょう。

**1 関数の引数**

2つあります。hour(勉強時間)とcon(集中力)です。「con」という変数の名前は、「concentration」という集中力の意味の英語を短くしたものです。

**2 計算の内容**

hour(勉強時間)とcon(集中力)から、テストの結果となる点数を計算します。

**3 関数の戻り値**

テストの点数です。

今度は、勉強時間だけでなく、集中力をあわせた数字から、テストの点数を予想して計算するプログラムになっていることが分かります。

　100点を取るために必要な勉強時間と集中力はどのくらいでしょうか。チャレンジとしてやってみましょう。

　まず、「# むずかしい計算の関数（2）」のセルを実行して、関数を定義します。そして、次の「# 100点を取るための時間と集中力」のセルの引数を書き換えて、実行しながら確かめてみましょう。まずは、引数に勉強時間を「5」、集中力を「20」として実行してみます。

```
# 100点を取るための時間と集中力
test_score2(5, 20)
```

集中力は勉強にとって大事な要素です。

**実行結果**

17

これだと17点しかとれません！

　それでは、結果が100になるまで、2つの引数を書き換えてみましょう。

**答え**

・勉強時間（1つ目の引数）：9、または10
・集中力（2つ目の引数）：100

関数の中身って、いちいち読まなくても使うことができるんですね。

ただし、どうしても関数の動くしくみや、計算の内容を知りたいときは、中のプログラムを読んでみるといいことがあります。

先ほどの勉強時間からテストの点数を予測する関数にある計算は、AIの基礎になる計算方法を使っていますよ。

「最小二乗法」という計算方法を使っています。この手法を使うと、いろいろなデータを計算式に変えることができます。とてもむずかしい数学の知識ですが、もし興味があれば自分で調べてみてください。

プログラムを深く読むと、いろいろな勉強ができるんです。

**関数を「読み込む」**

いろんな関数を使って、関数の世界を広げましょう。

　ここまででみなさんは、まず「関数は計算の手順に名前をつけたもの」だということを学びました。次に、「引数」「計算の内容」「戻り値」という3つの要素が分かれば、関数は使えることを学びました。

　この2つのことに、たいていの人はなんとなくではあっても「納得」できたと思います。なぜかというと、算数で習う「計算のしくみ」をみなさんが知っていて、関数は「書き方を変えただけ」だからです。

　関数は、Pythonで「コンピューターに計算をお願いする」ときの**プログラムの書き方**なのです。

■ 「計算のしくみ」と「関数のしくみ」

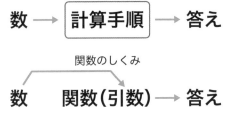

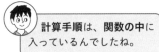

計算手順は、関数の中に入っているんでしたね。

　関数の使い方さえ分かってしまえば、いろいろな関数を自在に使うことができます。**関数を使うだけ**なら、関数の中で実行されている計算のしくみについて、くわしく知っている必要はありません。中身がまったく見えない関数でも、使い方さえ分かれば、自由に使うことができます。

　Pythonでは、関数を**読み込んで使う**ことができます。プログラムで定義するのではなく、外で作られた関数を持ってきて使うこともできるのです。

　実際に、関数を読み込んで使ってみましょう。コラボラトリーの「**プログラム2-4**」を開きます。

アドレス欄に入力する文字

QRコード

qrtn.jp/6qvtxzc

次のURLにアクセスしています。

URL https://colab.research.google.com/github/shibats/mpb_samples/blob/main/ch02/code_2_4.ipynb

「プログラム2-4」を開いたら、「# 関数を読み込む」とコメントしている一番上のセルを見てください。ここには、**関数を読み込む命令**が書いてあります。セルを実行してください。

```
# 関数を読み込む
!pip install mpb_lib -qU
from mpb_lib.apis import get_rp
```

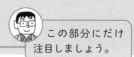

この部分にだけ
注目しましょう。

知らない文字がたくさん並んでいますね。どんな命令なんだろう……。

命令の意味がわからなくてモヤモヤするかもしれませんね。

便利な関数がたくさんしまってある、本棚のようなもの（ライブラリといいます）があるのです。そこから、必要な関数を取ってきます。ここでは**「mpb_lib.apis」というライブラリから、「get_rp」という関数を読み込んでいます**。このセルでやっていることを簡単に説明すると、こういうことです。ライブラリから読み込むことについては、第6章でもっとくわしく説明します。

**ライブラリから関数 (get_rp) を読み込む**

ライブラリ　　　　　　　　　get_rp

関数は、定義して使うだけでなく、すでに用意されているものを読み込むことでも使えるようになるのです。次のセルには、読み込んだ関数を使ったプログラムが書いてあります。コメントを読むと、関数がどんなことをするのか、だいたい想像できるはずです。

```
# 東京の降水確率を表示
get_rp()
```

 この丸かっこの囲みだけ、なんの記号ですか？

 引数がない関数なんです。あとで説明しますね。

```
30
```

　セルを実行すると、0から100までの数が出力セルに表示されます（ここでは30でした）。コメントから、東京の降水確率を数で返す関数らしい、ということが分かると思います。

　**get_rp** という関数は、いつでも必ず最新の東京の降水確率を返す関数です。仕事をしてもらうのに、**引数を与える必要がありません**。それで、（ ）の間になにもない「**( )**」という記号だけを書いているのです。関数に与える引数の数は、仕事の内容によって変わるのでしたね。引数が0個のときもある、ということです。

　実はこの関数は、みなさんの勉強のために筆者が作った関数です。関数の中身には、Pythonで書いた長めのプログラムが入っています。カンの良い人なら、ネットから情報を取ってきている、と分かるかもしれません。

　get_rpという関数の名前のうち、「get」というのは「取ってくる・得る」という意味の英語です。「rp」の部分は、「rainy percent（降水確率）」という2つの単語の頭文字からつけました。

　どうしても関数の中身が気になってしまう人がいると思います。でも、この関数の内容は、Pythonやプログラミングを学びはじめたばかりのみなさんに説明するのはちょっとむずかしいです。みなさんが、学び続けて、Pythonでさまざまなプログラムを書けるようになったときには、きっとしくみから分かるようになると思います。

 Pythonの関数って、単純な計算だけでなくいろいろなことができるんですね。

他にも、いろいろな関数を用意してありますよ。

 いろんな関数を使って、楽しく勉強を続けていきましょう。

## 2-2-3 戻り値のない関数

Pythonの中には、小さな世界があるのです。

「プログラム2-4」の次のセル「# 変数の内容を表示する」を見てください。プログラムの内容は、コメントを読めば分かりますね。セルを実行すると、出力セルに「50」という数が表示されるはずです。

```
# 変数の内容を表示する
rainy_percent = 50      # 降水確率
print(rainy_percent)  # 変数の中身を表示する
```

表示したい変数を、引数として丸かっこの中に書きます。

**実行結果**

```
50
```

最初にrainy_percentという変数に「50」を入れています。次の行では、printという関数の引数としてrainy_percentという変数が入っています。実行結果には、rainy_percentに入っている数が表示されていますね。**printは引数を画面に表示する仕事をする関数**だ、ということが分かります。

printという関数は、いくつか特別な性質を持った関数です。なぜなら**定義することなく使える**からです。これまでのように、defを使って定義したり、外から読み込んだりしていないのに使えるのです。

プログラムを作っていると、変数の中身を確認したくなることがあるのです。そんなときにprint関数を使います。

よく使うから、printはいつでも使えるようになっているんですよ。

なるほど！

またprintは、関数を呼び出しても数が返ってきません。**戻り値がない**のです。引数を使ってコンピューターに仕事をお願いする、という関数の**使い方**は同じです。お願いする**仕事の内容**が、「画面に表示する」なので、関数が結果を返さないのです。

Pythonの関数は、計算だけではなく、いろいろな仕事をすることができます。

▓▓▶ いろいろな関数の役割

数の計算をする関数

10 　　　関数(引数)⟶ 答え

関数にお願いする**仕事の内容**によって、数の**使われ方**が変わるんです。

数を画面に表示する関数

10 　　　関数(引数)⟶  10

数が消えちゃうわけではないんですね。

もう1つ、戻り値のない関数を使ってみましょう。関数を使って、簡単なゲームで遊んでみましょう。

まずは、関数を読み込む命令を実行して、ゲームをはじめる準備をします。「プログラム2-4」の次のセル、「# 大砲ゲームの準備」を実行して、関数を読み込んで準備します。

```
# 大砲ゲームの準備
from mpb_lib.cannon import cannon_game
```

えっ、たったこれだけのプログラムで、ゲームの準備ができるんですか?

cannon_gameという関数には、私が作った、とても大きなプログラムが入っているのです。

次に、読み込んで準備したcannon_gameという関数を呼び出して使います。引数のところに入っている数は、火薬の量です。引数に数を入れることを「渡す」ということがあります。**指示を与えるために、関数に数を「渡す」**のです。

```
# 大砲ゲーム1
cannon_game(22)  # 引数に火薬の量を渡す
```

セルを実行すると、コラボラトリーの出力セルにゲームの画面が表示されます。ボタンを押して、大砲の弾を発射してみましょう。

**出力セルに表示される大砲ゲームの画面**

関数を呼び出しただけなのに、画面の上で大砲の弾が飛んで行くのは、とても不思議ですね。cannon_gameの関数の中身はとても長いプログラムですが、これまで学んだのと同じ関数のしくみを使って、関数の名前で呼び出すだけで動いています。

仕事をお願いするために**関数を呼び出して**、細かい**指示を与えるのに引数を使い**ます。そして、この関数では戻り値がありません。結果が画面に表示されるためです。print関数と同じですね。

### チャレンジしよう

大砲ゲームでブロックをくずせる、火薬の量を見つけてください。「# 大砲ゲーム1」の引数で指定する火薬の量で、弾が飛ぶ距離が変わります。関数の引数を変えてセルを実行すると、何度でも大砲が撃てます。

### 答え

• 火薬の量（引数の数）を「31」から「36」にすると、ブロックをこわせます。

**column**

## プログラムでリアルな動きをするしくみ

　cannon_gameの関数のプログラムはとても長く難しいものですが、大砲の弾が飛んでいったり、ブロックがくずれるしくみについて、ちょっとだけ説明しておきましょう。

　弾の縦・横の移動の速度を変えながら、大砲の弾の位置を計算していきます。弾の次の位置が分かったら、新しい位置に動かします。これを**素早くくり返す**ことによって、弾が飛んでいるように見せているのです。

### 弾を動かすしくみ

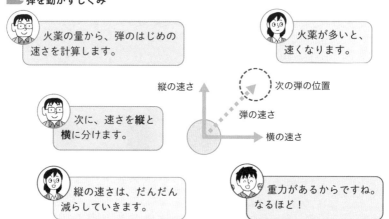

　こうやって弾を動かしていると、そのうちブロックにぶつかります。ぶつかったかどうかも、計算をすることで分かります。弾とブロックの位置も、縦と横の2つの数に分けられます。速さと同じですね。

　弾とブロックがぶつかったことが分かったら、ブロックがくずれる動きを計算します。ブロックが動き出したら、次の位置を計算して、新しい位置に動かします。これを素早くくり返すことで、動いているように見せるのです。大砲の弾と同じですね。

　ブロックは縦に積まれていますね。ブロック同士についても、同じような計算をします。そうすると、ブロックがくずれるような、リアルな動きを再現できるのです。

■🔌 弾とブロックの位置でぶつかったかを判定するしくみ

 弾とブロックの位置を、**数**で表します。

 数をくらべれば、ぶつかったことが分かりますね。

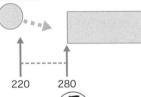

220　　280

 くらべるには、たとえば**引き算**をすればいいのです。

 引き算の結果が0になれば、ぶつかったことになりますね。

　大砲ゲームの中にあるリアルな動きの世界は、たくさんの計算をすることによって作られています。このように、計算によって現実そっくりな世界を再現するプログラムをシミュレーションと呼ぶことがあります。

 ゲームの中身がどうなっているのか、もっとくわしく知りたいです！

その気持ち、すばらしいと思います！

 ちょっとだけ種明かしをすると、大砲ゲームは、Pythonに、HTMLやJavaScriptという技術を組み合わせて作っています。

Pythonだけでなく、他の技術も知らないと、理解できないってことか…。

 プログラミングの勉強を続けていれば、いつか必ずわかるようになりますよ！

# 2-3 プログラムの基本形

🖥 **この節の目的**

プログラムをつなげて、より長く書く方法を学びます。変数と関数を組み合わせる書き方は、プログラムの「基本形」です。

🔍 **この節で分かること**

✓ 変数と関数を組み合わせたプログラムの書き方
✓ プログラムのつなげかた
✓ プログラムの基本形

---

## 2-3-1 変数と関数を組み合わせる

○── 同じようにあつかえるものは、置き換えることができます。

　変数に数を入れるとき、左側には変数の名前を書きます。短くして変数名（へんすうめい）と呼ぶことがあります。「＝（イコール）」に続けて、右側には「変数にいれるもの」を書きます。イコールを使って、変数に数のようなものを入れることを代入（だいにゅう）といいます。

代入

変数名　＝　7

左には**変数名**を書きます。

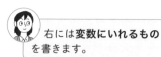
右には**変数にいれるもの**を書きます。

　イコールの左側は、必ず変数名を書く必要があります。でも右側は、数でないものでもよいのです。

**変数にはさまざまなものが代入できる**

＝（イコール）の右側には、数だけでなく、いろいろなものを置くことができますよ。

| プログラムの例 | 右側に置けるもの |
|---|---|

hankei = 3

enshuu = hankei * 2 * 3.14

menseki = en_menseki(3)

**数**
**計算式**
**関数**

2つ目の計算式までは、これまでのプログラムで見たことがあります。

最後の例は、関数の「戻り値」を変数に代入していますよ。

**数と同じにあつかえるもの**なら、イコールの右側には、なんでも書くことができるのです。

　変数への代入は、プログラムの出発点になります。関数の**結果（戻り値）**を使ってプログラムを書きはじめると、より便利なプログラムを作ることができます。

　関数と変数を組み合わせたプログラムの書き方を学ぶために、コラボラトリーの「**プログラム2-5**」を開きましょう。

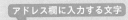
**アドレス欄に入力する文字**　　　QRコード

qrtn.jp/eaw9yrr

　どちらも、このアドレスにアクセスできます。

URL https://colab.research.google.com/github/shibats/mpb_samples/blob/main/ch02/code_2_5.ipynb

　これから使う便利な関数**get_temp**と**f_to_c**の2つを読み込みましょう。「プログラム2-5」の最初のセルを実行します。

```
# 関数を読み込む
!pip install mpb_lib -qU
from mpb_lib.apis import get_temp, f_to_c
```

　実行したら次のセル、「# 東京の現在の気温を変数に代入する」を見てください。
読み込んだ**get_temp**という名前の関数を使って、**現在の東京の気温を変数に代
入して表示**するプログラムです。「get_temp()」のように、引数なしで関数を呼び
出している理由はもう分かりますね。関数の仕事は現在の東京の気温を返すことで
す。関数を使うのに、引数を与える必要がないのです。

```
# 東京の現在の気温を変数に代入する
tokyo_temp = get_temp()
print(tokyo_temp)
```

 関数を呼び出したときの、東京
の気温を自動的に取ってきます。

80

 print関数を使って、変数tokyo_tempに
入っている数を表示していますよ。

　出力セルに表示された気温の数字を見て、なにかヘンだと思いませんか？ 私た
ちが日ごろ使っている実際の気温より、かなり高い数が表示されているはずです。
　これは、関数から返ってくる数の単位が違うからです。アメリカの天気予報で見
かける**℉（華氏、かし）**という単位の温度で、日本で使っている**℃（摂氏、せっし）**
よりかなり高めの数になるのです。
　この数字を見ているとサウナにでも入っているような気分になってきます。不便
なので、関数を使って℃に変換してみましょう。最初のセルで読み込んだ**f_to_c**
という関数を使います。出力セルに表示された℉の数を、引数にして関数を呼び出
します。自分で実行するときには、プログラムの引数を書き換えて、実行してみて
ください。関数の戻り値として返される数は、出力セルに表示されます。

```
# ℉を℃に変える
f_to_c(80)
```

この引数は、前のプログラムで表示された
数に書き換えて実行してください。

実行結果

26

それらしい気温が表示されましたね。

単位が変わるだけで、ずいぶん数の印象
が変わってしまうんですね。

「単位」はとても重要なのです。

　関数の( )の中にある引数の数は、**変数に置き換える**ことができます。変数の中には、数が入っているので、数と同じにあつかえるのです。だから、変数を引数として、( )の中に入れることができるのです。次の「# ℉を℃に変える(2)」の変数tokyo_tempを引数にしたセルを実行してください。引数に数を入れたときと同じ結果になります。

```
# ℉を℃に変える(2)
f_to_c(tokyo_temp)
```

実行結果

26

　変数に代入をするときのことを思い出してください、＝(イコール)の右側には、数だけでなく、数と同じにあつかえるものならなんでも置くことができました。関数の引数についても同じなのです。

　**プログラムの中で同じようにあつかえるものは、置きかえることができます。**

　これは、Pythonに限らず、プログラミング全般で使えるとても便利な法則のようなものです。

## 2-3-2 プログラムのつなげ方

結果を関数の引数にする。これをくり返すと、プログラムをつなげて書くことができます。

東京の気温を表示するプログラムについて、振り返りをしてみましょう。プログラムは2つに分かれていました。東京の気温を取得してから、取得した温度を℉（華氏）から℃（摂氏）に変えて表示する、という手順を実行していました。

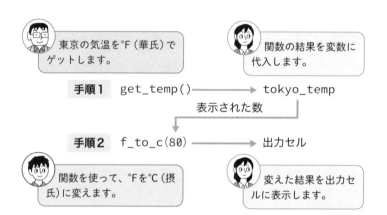

この図では、最初の手順で得た結果の数を、次の関数に引数として渡しています。そうすることで、さらに別の結果を得て、知りたい情報に変えているのです。

この2つの手順は、1つのプログラムにまとめることができます。℉の気温が入った変数を、f_to_cという関数の引数として使えばいいのです。変数に入っているのは数ですね。「同じものは同じようにあつかえる」ルールが使えるわけです。

「プログラム2-5」の次の「# ℃で東京の気温を表示する」セルのプログラムを、変数名に注意しながら、読んでみましょう。

```
# ℃で東京の気温を表示する
tokyo_temp = get_temp()
f_to_c(tokyo_temp)
```

66

変数を使うと、結果を別の
関数に渡せるんです。

 関数の引数に、変数を
使うんですね。

get_temp() → tokyo_temp ⌐ f_to_c(tokyo_temp)

　これで、プログラムの引数となる数を変えることなく、欲しい情報を得ることができるようになりました。プログラムの出発点となる量の数も関数から取ってくるので、いちいち入力する必要がありません。実行すると同じ結果が表示されます。

実行結果

26

　1つのセルを実行するだけで、欲しい情報が手に入るようになりました。ちょっと便利ですね。

　ここで、「プログラムの要点をつかむコツ」を思い出してください。このプログラムには、**変えられる数**がありません。**目的と結果**は、コメントを読むと分かりますね。

　どんなことをするプログラムかを知りたいだけなら、中身を読む必要はないのです。プログラムをザックリ読みたいだけなら、tokyo_tempのような変数の意味について、深く考える必要はありません。

> 長いプログラムには、手順をつなぐために使われている変数が
> たくさん出てきます。ザックリと読みたいときには、
> このような変数は読み飛ばしてもよいのです。

## 2-3-3 「不快指数」を計算しよう

人間の行動を決める数を計算してみよう。

　私たちの身の回りには、計算によって作り出された数がたくさんあります。たとえば、最近の短時間で計測できる「予測式体温計」で測る体温も**計算された数**です。計算をすることで、実際に測るよりずっと短い時間で、だいたいの体温を知ることができます。

**予測式体温計の基本的なしくみ**

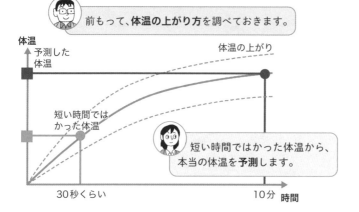

前もって、**体温の上がり方を調べておきます。**

短い時間ではかった体温から、本当の体温を**予測**します。

スマートフォンで目にする電池残量やアンテナの数（電波の強さ）なども、計算された数の仲間です。

このような数には、計算をするための式があります。ほとんど誰にも気づかれず、プログラムが自動的に計算を実行しています。

私たちは、プログラムが計算した数を見ることで、世界の姿を知ります。そして、数を見て、計画を立て、行動を変えながら生活をしているのです。

人間が感じる「蒸し暑さ」を、量の数で表現した**不快指数**という数があります。日中の過ごしやすさが分かるように、気温と湿度をもとに数を計算するのです。

不快指数は、次のような式で計算します。

$$0.01 \times 湿度 \times (0.99 \times 気温 - 14.3) + 0.81 \times 気温 + 46.3$$

そして、この計算式の結果の数で、次のような目安があります。

- 100 〜 85：暑くてたまらない
- 85 〜 80：暑くて汗が出る
- 80 〜 75：やや暑い
- 75〜70：暑くない
- 70〜65：快適

人間は、気温が高くても、湿度が低ければ不快に感じません。

温度と湿度を組み合わせて計算すると、快適さが数でわかるんですね。

不快指数は、もともとアメリカで考え出されたんですよ。

関数のまとめとして、この不快指数を計算するプログラムを作ってみましょう。いつものように、コラボラトリーの「**プログラム2-6**」を開きます。

アドレス欄に入力する文字

qrtn.jp/5arbwtw

QRコード

どちらも、次のアドレスにアクセスできます。

URL https://colab.research.google.com/github/shibats/mpb_samples/blob/main/ch02/code_2_6.ipynb

「プログラム2-6」を開いたら、まず計算に必要な関数を読み込む命令のセルを実行して、準備しておきます。

```
# 関数を読み込む
!pip install mpb_lib -qU
from mpb_lib.apis import get_temp, f_to_c, get_humid
```

どんな手順を使えば、不快指数を計算できるでしょうか。先ほどの計算式をながめながら、ちょっと考えてみましょう。

今回計算するのは、**東京の現在の不快指数**です。最初に**なにが変数になるか**を考えてみます。不快指数の式を見ると、**気温**と**湿度**があれば計算ができることが分かります。

計算は、こんな手順になるはずです。

- 1. 湿度を調べる
- 2. 気温を調べる
- 3. 式を使って不快指数を計算する

気温については、前の「プログラム2-5」のプログラムであつかいました。湿度は、どこかから取ってくる必要がありそうです。先ほど準備として関数を読み込んだときに、**get_humid**という関数があったのに気づいたでしょうか。この関数を使う

と、東京の現在の湿度を得ることができます。「humid」とは「湿度」という意味の英語です。

「# 東京の湿度を得る」とコメントされているセルを実行して、確かめてみましょう。いつセルを動かすかによって、表示される数が変わります。プログラムを実行したときの東京の湿度を表示するからです。

```
# 東京の湿度を得る
tokyo_humid = get_humid()
print(tokyo_humid)
```

 関数を使って、東京の現在の湿度を取り込んで表示しますよ。

**実行結果**

89

 この結果の数を使って、東京の今の不快指数を計算してみましょう。

東京の気温を得るプログラムは、前にも見ましたね。℉を℃に変換して表示するセルを実行します。名前を追いながら、プログラムを読んでから実行してください。

```
# 東京の気温を℉から℃に変える
temp_f = get_temp()
temp_c = f_to_c(temp_f)
print(temp_c)
```

 プログラムの中に、変数が2つあるのがわかりますか？

**実行結果**

23

 先生（普）：最初に℉の温度を代入して、℃に変えた温度を別の変数にしています。

2つのセルのプログラムを実行した結果、tokyo_humidという変数に湿度、temp_cという変数に気温（℃）の数が手に入りました。この2つの変数を使って、不快指数を計算する式をプログラムにしてみましょう。計算の結果を変数diに代入して、printで表示します。

```
# 不快指数の計算式をプログラムにする
# 0.01×湿度×(0.99×気温-14.3)+0.81×気温+46.3
di = 0.01 * tokyo_humid * (0.99 * temp_c - 14.3) + 0.81 * temp_c + 46.3
print(di)
```

計算式が横に長い……。

**実行結果**

72.4683

diという変数名は、不快指数の英語(discomfort index)の頭文字からつけました。

それでは、この「湿度を取得する」「気温を取得する」「不快指数を計算する」の3つの手順のプログラムを、1つにまとめましょう。手順をつなぐために、変数を使っていることに注目してください。

```
# 手順を順番に並べて、1つのプログラムに
tokyo_humid = get_humid()  # 湿度
temp_f = get_temp()        # 気温(℉)
temp_c = f_to_c(temp_f)    # ℉を℃に
di = 0.01 * tokyo_humid    # 不快指数を計算
di = di * (0.99 * temp_c - 14.3)
di = di + 0.81 * temp_c + 46.3
print(di)
```

不快指数の計算式が、3行に分かれています。

**実行結果**

72.4683

同じ計算手順になるように、変数を使って式を分割したんです。こっちの方が見やすいはずです。

式を分割した部分はちょっとむずかしいですね。計算の内容は同じなので、ムリに読む必要はありませんよ。結果はプログラムを実行したときで変わります。

## 2-3-4 プログラムの「基本形」

○──関数や計算の結果を変数でつないでゆく。これがプログラムの基本形です。

　変数に種類があることや関数の中身はプログラムであることなど、この章でみなさんはいろいろなことを学びました。Pythonに関する知識が増えたので、よりむずかしいプログラムを読めるようになっているはずです。

　第1章の最後に出てきた図を覚えていますか？　この章で学んだことを使って、この図を書き換えてみましょう。「数」だったところが「変数」に、「計算手順」だったところが「関数」に変わっています。でも、図の形は同じですね。

■□ 変数と関数を使うプログラムの動作の基本

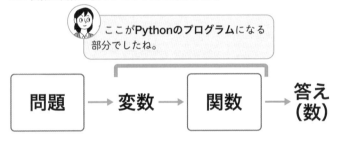

解きたい問題や知りたいことを数にして、関数のような計算手順に与えて
答えを得る。これが「**プログラムの基本形**」です。

　計算手順には、単純なものだけでなく、複雑なものもあります。足し算やかけ算のような四則演算だけを使った単純な計算からは単純な答えしか出てきません。面積だったり、移動にかかる時間だったり、せいぜいそのくらいのことしか知ることができません。

　もっと複雑な計算をすれば、よりむずかしい問題への答えや、役に立つ答えが出てきます。

　不快指数を計算したときのことを思い出してください。必要な数を関数から得て変数に代入したり、変数を引数にして関数を呼び出し、別の種類の数に変えたりしました。細かい手続きがいくつかありましたが、それぞれの**手順はプログラムの基本形**になっています。

### プログラムの基本形

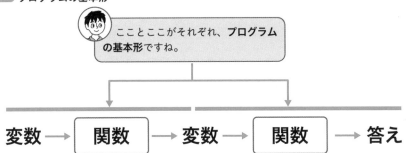

こことここがそれぞれ、**プログラムの基本形**ですね。

変数 → 関数 → 変数 → 関数 → 答え

プログラムの基本形が集まって、長い大きなプログラムになっているのです。

なるほど〜！

プログラムを作るときは、次のようにします。

- 1. **出発点**となる**数**を得ます
- 2. 関数や計算式を使って、**数を別の数に変えて**いきます
- 3. 関数の呼び出しや計算式の手順を、**答えにたどり着くように正しく並べ**ます
- 4. **答え**を出します

> 手順を正しくたどれるように、変数をうまく使いながら、「プログラムの基本形」を並べて行きます。これが、長いプログラムを作るための方法です。

　実際にプログラムを作るときは、最終形の長いプログラムをいきなり作ることはあまりありません。たいていは、まず短いプログラムを作って、試したり、実験をしたりすることからはじめます。そうしてできた短いプログラムをくっつけて、長いプログラムを作って行くのです。

　不快指数のプログラムを作ったときも、同じでしたね。短い3つのプログラムを作りながら、最後に全体を1つのセルにまとめたのでした。

　そして、1つのプログラムがまとまったら、それを1つの関数にすることがあります。関数にすると、複雑な計算手順を、簡単に使うことができるようになります。

　関数を作るときは、次のようにします。

1 **関数の名前を考える**

できるだけ、関数でやっていることが分かるような名前をつけます。

2 **引数を見つける**

関数にするプログラムで、**変えられる数**になる変数があるか考えます。

3 **関数の書き方にならって関数を作る**

たとえば、先ほど1つにまとめた**不快指数を計算する関数**を作ることを考えます。関数名は、不快指数の英語の単語を「_（アンダーバー）」で区切って**discomfort_index**としましょう。

この関数に引数はありません。計算の出発点となる数は、湿度や気温を取得する関数から得られるからです。変えられる数になる変数がないのです。Pythonで関数を作るときのルールに従って、関数を作りましょう。

```python
# 不快指数を計算する関数を作る
def discomfort_index():
    tokyo_humid = get_humid()
    temp_f = get_temp()
    temp_c = f_to_c(temp_f)
    di = 0.01*tokyo_humid
    di = di * (0.99 * temp_c - 14.3)
    di = di + 0.81 * temp_c + 46.3
    return di
```

> 計算結果は、戻り値として関数の外に出すようにします。

プログラムは、**基本形**を組み合わせて作ります。それがそのまま、関数の中に入るのです。むずかしい計算をしている関数も、「基本形」を組み合わせて作られている、ということがよく分かりますね。

「プログラム2-6」にある関数を定義する（作る）セルを実行したら、その次のセルで関数を使ってみましょう。

```
# 関数を使ってみる
discomfort_index()
```

実行結果

```
72.4683
```

 関数を1つ呼び出すだけで、不快指数が表示されて、お得感が高いです！

 関数を作る過程を知っていると、中でむずかしい計算をしているのがイメージしやすいと思います。

　出力セルに数を出すだけでは、なんだかもったいないですね。不快指数を変数に代入すれば、プログラムをつなげてもっと長く書くこともできます。

　たとえば、不快指数が「75」以下だとどうなるでしょうか？ 外で過ごすと不快さを感じる人が多くなり、熱中症の危険も増します。数を調べて、警告を表示するようなプログラムを作ってみたら、きっと役立つものができる楽しみが感じられると思います。

　次の章で学ぶ「条件分岐」の機能を使えば、そういうプログラムを作ることができます。条件分岐を使うと、さらにいろいろなプログラムが作れるようになりますよ。

MEMO

# 条件分岐

プログラミングでは、数を使ってものごとの「変化」を
表現することがあります。その方法を学ぶために、こ
の章では次のようなことを学習します。

▷ 変数で状態を表現する方法
▷ 量の数と順番の数
▷ 条件分岐
▷ 人間のように考えるプログラムの作り方

## 3-1　もし○○だったら

 この節の目的

Pythonで条件によってプログラムの枝分かれをする「条件分岐」について学びます。

この節で分かること
- ✓ 条件分岐とはなにか
- ✓ ifの使い方
- ✓ 比較をするときの方法

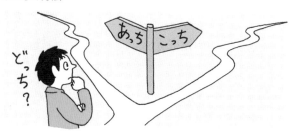

### 3-1-1　変数で「状態」を表現する

変数の中にある数を変えると、ものごとの「変化」を表現できます。

　これまで、出てきた変数の使い方は、どれも計算に関わっていました。変数には変えられる数を入れます。面積や不快指数を求めるための式を使って計算を行いました。また、計算の途中経過を入れたり、関数の戻り値を入れて、次の関数に渡すために変数を使ったりもしました。

　入口があって、出口がある。これが、「プログラムの基本形」なのでした。ちょっと動いて、答えを出して、すぐ止まる。

 プログラムの基本形

　この動きを何度かくり返すと、プログラムで**変化を表現**することができます。プログラムで変化を表現するとはどういうことでしょうか。コラボラトリーの「**プログラム3-1**」を見ながら学んで行きましょう。

アドレス欄に入力する文字

qrtn.jp/7qa37ix

QRコード

　どちらも、次のURLにアクセスできます。

URL https://colab.research.google.com/github/shibats/mpb_samples/blob/main/ch03/code_3_1.ipynb

　最初のセルを見てください。このくらいのプログラムなら、みなさんは簡単に読めるはずです。さっと読んだら、セルを実行してください。

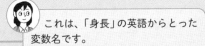

```
# 身長を変数に入れる
height = 150   # 身長150cm
```

これは、「身長」の英語からとった変数名です。

　身長の150が変数heightに入れられました。変数に入れられている身長を伸ばしてみましょう。

```
# 身長が10cm伸びる
height = height + 10
height
```

変数に10を足した数を、元の変数に代入することで、変数を増やしています。

**実行結果**

なるほど〜！

160

　変数の中に入っている数を変えることで、Pythonで身長のような**変化する数**を表現しています。計算を使って、変数を**変化**させるのです。

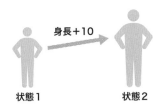

身長+10

状態1　　　状態2

ここで見た「height（身長）」のように、変化する数のことを**状態**と呼ぶことがあります。ものごとの成り立ちを、数を入れた変数で表現するわけです。

**変数で状態を表現して、計算で変えると、変化を表現できます。**

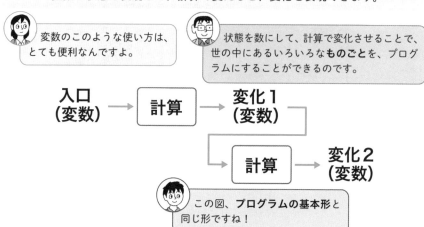

変数のこのような使い方は、とても便利なんですよ。

状態を数にして、計算で変化させることで、世の中にあるいろいろな**ものごと**を、プログラムにすることができるのです。

入口
（変数）　→　計算　→　変化1
（変数）

計算　→　変化2
（変数）

この図、**プログラムの基本形**と同じ形ですね！

---

📜 **column**

　**変数は、いつ作られる？**

　変数はよく**箱**に例えられます。**変えられる数**を入れたり、**計算結果を入れてつなぎ**に使ったり、Pythonの箱には、いろいろな使い方があることを学びましたね。

　Pythonのプログラムには、**変数が作られるタイミング**というのがあります。変数がいつ作られるかというと、**最初に代入をしたとき**に作られます。最初の代入で、まず箱が用意されて、そのあとで中に数が入れられるのです。

　1回目に代入をすると、Pythonは、**変数の名前**と**中に入っているもの**を覚えてくれます。式の中で変数を使うときは、箱の中にある数を自動的に取り出して計算をします。

　2回目に代入をするときは、新しい箱は作られません。同じ名前の箱は1つだけなので、すでにある箱の中身が入れ替わることで、変数の中身が変わっていきます。

　新しい変数名に代入をすると、新しい変数としてPythonが覚えてくれます。変数の箱が増えるのです。

■→ 変数に状態を表現する数を入れる

プログラム　　　　　Pythonがやること

変数の箱を用意します。

height = 150　　　height

「＝（イコール）」の
右にある数を、箱の中
に入れます。

| 150 | 40 | 23 |
| height | width | temp |

作られた箱は、
Pythonが覚えて
いてくれます。

## 3-1-2 ifでルールを作る
●プログラムでルールを作りたいとき、ifを使います。

　Pythonのプログラムでは、**状態を数にして変数に入れることで、いろいろなでき
ごと**を表現します。

　世の中を見渡すと、似たようなことは
いろいろなところで行われています。た
とえば、「身長」や「体重」のような**量の
数**を使うと、人間の「体の状態」を表現で
きます。「体温」「血圧」などを使って、「健
康状態」を表現することもありますね。

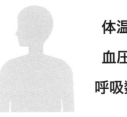

**身長**　　　　　　　　**体温**

**体重**　　　　　　　　**血圧**

**年齢**　　　　　　　　**呼吸数**

　いろいろなものごとに名前をつけて変数を作ります。変数に数を代入すること
で、どんな状態なのかを表現するのです。代入や計算を組み合わせると、「できごと」
をプログラムで表現できます。できごとの結果や変化は、変数に入っている数の変
化となってあらわれます。

　言葉で書くより、プログラムを読む方がどういうことか実感しやすいかもしれません。
「プログラム3-1」の次のセルは、変数で体力を表現したプログラムです。実行して
みましょう。

```
# 体力を変数で表現
hp = 100
```

hpは「ヒットポイント（hit point）」の略です。ゲームでよく見かけますね。

hpが100であれば、体力が満タンだと思ってください。ここで敵が出現して、戦って傷を負ってしまいました。体力が減ってしまうのが残念ですが、とにかく「プログラム3-1」の次のセルのプログラムを動かしてみましょう。

```
# 敵と戦って傷を負う
hp = hp - 10
hp
```

「敵と戦って体力が減る」という「できごと」をプログラムにしてみました。

90

セルを何度も実行すると、10ずつ体力が減って行きますよ。

体力が0になったら、どうなるんだろう……？

これはただの**計算プログラム**です。でも、変数や計算の意味を追ってみると、ちゃんと**できごとの流れや状態の変化**が見えてくるはずです。

変数の種類を増やしましょう。次のセルを実行して、魔法を手に入れましょう。

```
# 魔法力を変数で表現
mp = 20
```

mpは「マジックポイント（magic point）の略ですね。

新しく手に入れた魔法を使って、体力を回復します。mp（魔法力）から10を引いて、hp（体力）を20回復させましょう。

```
# 魔法で傷を治す
mp = mp - 10    # 魔法力を使う
hp = hp + 20    # 体力を回復する
```

ところで、このプログラムには、ちょっとおかしいところがあります。

えっ、なにがおかしいんだろう……？

82

　おかしいところに気がつきましたか？　もともと、mp（魔法力）という変数には20が入っていました。「# 魔法で傷を治す」セルを1回実行すると、mpは−10されて10になります。2回目で0になりますね。3回目はどうなるでしょうか？　0から10を引くので、mpは0より小さくなってしまいます。でも、このままでは体力の回復（hp＋20）は実行されます。

　魔法力が尽きてしまっているのに、魔法が使えるのはおかしいですよね。そこで、魔法力の残りを調べて、少なくとも10あることをたしかめてから、魔法を使うかどうかを決める必要があります。

　そのようなプログラムを書くとき、Pythonではifというしくみを使います「if」というのは、「もし」という意味の英語です。次のプログラムを見てください。

```
# 魔法力があるときだけ、魔法が使える
if mp > 9:   # 魔法力が9より大きかったら
    mp = mp - 10
    hp = hp + 20
```

 ここが、「mpが9より大きかったら」という条件になっているんです。

 条件が成り立つときだけ、字下げ（インデント）された2行のプログラムが動きます。

 「>」という記号、知ってます！

 数を比べるときに使う記号ですね。

　「mp > 9」は左側にある変数mpに入っている数が、右側の「9」より大きいことを条件にしている式です。これで、mpから10を引いて魔法力が0より小さくなるときは、魔法が使えないようにできました。

　前もって条件を調べて、プログラムを実行するかどうかを決めたいときに、ifを使います。

条件を使ったルールをPythonのプログラムにするときは、次のようにします。

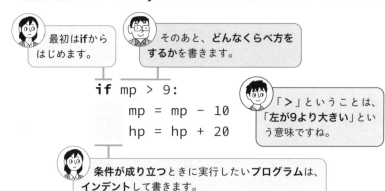

それでは、ifを使ったプログラムについて、次のチャレンジ問題に挑戦してみてください。チャレンジに取り組む前に、次のセルを実行して、体力を100に、魔法力を40に回復した状態にしておきます。

```
# 体力と魔法力を戻す
hp = 100
mp = 40
```

**チャレンジしよう**

「プログラム3-1」にある次のプログラムを何回か動かします。同じセルを、何度も実行するのです。

体力と魔法力は、hpは100、mpは40と回復した状態でスタートしています。次の2つの問題に答えてください。

**チャレンジ 1** hp（体力）が増えなくなるのは、セルを何回目に実行したときでしょうか。

 **チャレンジ 2** hp（体力）が増えなくなったとき、hpという変数にはどんな数が入っているでしょうか。

回数を数えて、セルを何度も実行しながら試してみると簡単です。

頭の中で考えてから、実行して確認してみるともっといいです。

**答え**

チャレンジ1：5回目にhpが増えなくなります。
チャレンジ2：180が入っています。hpは4回、20ずつ増えるので、100＋20×4＝180になります。

## 3-1-3 いろいろな条件

ifでは、いろいろな「比べ方」ができます。

Pythonは、プログラムに書かれたことを忠実に実行します。式が間違っていれば、間違った答えが出てきます。先ほどのプログラムでも、魔法力が0以下になっても、計算をするプログラムが書いてあればそのとおりに実行しました。

「力が0になったら使えない」というような約束は、人間が決める「ルール」です。このようなルールは、単純な計算や関数を使って決めるのはむずかしいのです。

人間が決めたルールをPythonに伝えるために、ifのような機能を使います。

Pythonに**ルールを伝える基本になるのもやはり「数」**です。ifからはじまる行を抜き出して、読み方を見てみましょう。

 ここが、どんなくらべ方をするかを決めている部分です。

 関数にもあったコロンがここにもあります。

**if mp > 9:**

 くらべたいものの間に記号を置いて、くらべ方を決めます。

記号の右と左には、どちらも「数と同じにあつかえるもの」ならなんでも置くことができます。たいていは、**左に変数などを、右に数を置きます**。これは軽い約束事のようなものです。守った方が、プログラムが読みやすくなります。

　**くらべ方**を決めるための**記号**には、いくつかの種類があります。算数でも習ったと思いますが、次の2つはみなさん知っていますね。

■□ 条件を調べるために使う記号①

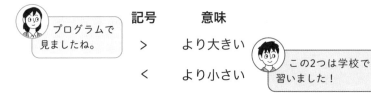

| 記号 | 意味 |
|------|------|
| > | より大きい |
| < | より小さい |

そして、記号を2つ組み合わせた**くらべ方**もあります。

■□ 条件を調べるために使う記号②

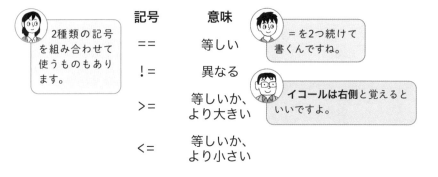

| 記号 | 意味 |
|------|------|
| == | 等しい |
| != | 異なる |
| >= | 等しいか、より大きい |
| <= | 等しいか、より小さい |

右と左が等しいことを調べるときに使う「==」は、代入の「=」と間違えやすいですよ。注意しましょう。

　ここで紹介した記号を使うことで、いろいろな条件を作ることができます。条件を調べるために使う記号を覚えたら、さっそく使ってみましょう。チャレンジとして、魔法で体力を回復するプログラムを、少し書き換えてみたいと思います。

**チャレンジしよう**

コラボラトリーの「プログラム3-1」のコメントに「# 調べてから魔法を使う(3)」と書いてあるセルを見てください。

```
# 調べてから魔法を使う(3)
if mp [ 1 ] 10:
    mp = mp - 10
    hp = hp + 20
print(mp, hp) # 状態を確認
```

9だった数が10に変わっていますね。

このプログラムの **[1]** の部分には、**条件を調べるために使う記号**が入ります。「# 調べてから魔法を使う(2)」のセルのプログラムと**同じ動き**にしたい場合、どんな記号を書けばいいでしょうか。次の3つの選択肢から選んでください。

**[選択肢]** ア：>、イ：>=、ウ：==

プログラムを書き換えて、動かしながら試すと簡単ですよ。

プログラムを動かす場合、「# 体力と魔法力を戻す」セルを毎回実行してから、このプログラムを実行してください。

**答え**

答え：イ

「mp > 9 (9より大きい)」と同じ条件になるのは、「mp >= 10 (10と同じか、それ以上)」になります。

### ◆ 条件に合わせて違う動作をしてみる

ここでもう一歩進んで、条件に合わせて違う動作ができないか考えてみましょう。

ifの行の下には、**条件が成り立つときに実行**したいプログラムを**インデントして書きました**ね。さらに、そのあとに「else:」を置くと、**条件が成り立たなかったときに実行**したいプログラムを書くことができます。「else:」の下にも、**インデントしてプログラムを書きます**。

「プログラム3-1」の次のセルのプログラムを見てください。

```
# テストの点でおこづかいをもらう
score = 0    # テストの点
if score >= 80:
    money = 100 # 100円もらう
else:
    money = 0    # おこづかいなし
```

 80点以上取れば、おこづかいをもらえます。

 100円かあ。もっともらえるなら、がんばるのに。

　このようにすると、**if ～ elseのしくみ**で、条件が成り立つときに動かすプログラムと、成り立たないときに動かすプログラムに分岐させることができるのです。このしくみを条件分岐といいます。場合によってできることが変えられるのは、ちょっと便利になった気がしますね。

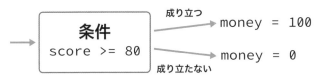

 条件が成り立つかどうかによって、プログラムの枝分かれができるんです。だから、ifのような機能を**条件分岐**といいます。

## column

### コロン（:）とインデント（右寄せ）

　ifやelseの**一番右に書く「: （コロン）」**という記号があります。日本語ではあまり使いませんね。同じ記号が、第2章で学んだ関数定義でも出てきたのを覚えていますか？

▶ **ifも関数も右はじに: (コロン)を書く**

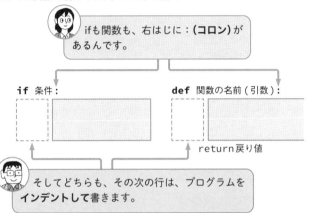

　「**: (コロン)**」という記号は、英語などでよく使われる記号です。「私の好きな色は3つ：赤、白、青」というように、コロンのあとに具体的な例を並べたいときなどに使います。

　Pythonのコロンは、この使い方がもとになっています。関数で動作するプログラムや、ifやelseの条件に合ったときに動作するプログラムを、**: の下にインデントして、まとまりとして書く**のです。

▶ **コロンのあとに必ずインデントしてプログラムを書く**

# 3-2 順番の数

💻 **この節の目的**

プログラミングで**量の数**と同じくよく使われる、**順番の数**について学びます。

🔍 **この節で分かること**

✓ 順番の数とはなにか
✓ ifと順番の数を組み合わせる方法
✓ 初歩的な人工知能プログラムの作り方

## 3-2-1 「順番の数」ってなんだ？

名前を順番に並べると数になります。

　いろいろな**量の数**を使ったPythonのプログラムを見てきました。プログラムで使う数にはもう1つの種類があります。それが順番の数です。順番の数はプログラムでとてもよく使われています。なぜなら、とても便利だからです。

　使い方を覚えると、いろいろなものごとをPythonのプログラムにすることができるようになります。また、この章で学んでいる**条件分岐**とも、とても深いつながりがあります。

　順番の数について、具体的な例を使って説明していきましょう。動物にはたくさんの種類があります。見た目や習性などによって、分類して名前がつけられています。たとえば、次の図のように動物の種類の名前は、**順番に並べると番号をつけることができます**ね。そうすると、名前を数にできるのです。そうしてできるのが順番の数です。

90

**分類名**

イヌ科

ネコ科

ヒト科

1　　　　　2　　　　　3

**順番の数**

「量の数」と「順番の数」には、それぞれ次のような特徴があります。

| 量の数 | 順番の数 |
|---|---|
| ・量を表現するために使われます。<br>・1.4のように、細かくきざむことができます。<br>・たいてい、単位があります。 | ・順序を表現するために使われます。<br>・細かくきざむことができません。<br>・整数を使います。 |

　**量の数**や**順番の数**のように、数には種類があります。でも、数の種類について考えることは普段はあまりないと思います。プログラムに書いてある数がどちらに当てはまるのかを考えるようにすると、Pythonのプログラムを理解しやすくなるでしょう。

　プログラムでは、順番の数として**0**と**1**がよく使われます。**ナシ・アリ**を、それぞれ**0・1**に対応させて順番の数にするのです。0は**なにもないこと**を表現するために使われる数ですから分かりやすいですね。

▶ **0と1を使って表現する順番の数の例**

しっぽが　　　　　　　　　　雲が

ナシ(0)　　アリ(1)　　　　ナシ(0)　　アリ(1)

状態をあらわす**名前**に、0・1という**順番**をつけているわけですね。

ifの次に来る条件が**成り立たない・成り立つ**のも、**ナシ・アリ**ですね。

ということは、「成り立たない」が「0」で、「成り立つ」が「1」になるのか。

順番の数と条件分岐を組み合わせると、どんなプログラムを作れるようになるの
でしょうか？　いっしょに学んでいきましょう。
　コラボラトリーの「**プログラム3-2**」を開きます。

アドレス欄に入力する文字

qrtn.jp/h98w3ta

QRコード

　どちらも、次のアドレスにアクセスできます。

URL https://colab.research.google.com/github/shibats/mpb_samples/blob/main/
ch03/code_3_2.ipynb

　「プログラム3-2」を開いたら、最初のセルを実行してください。関数を読み込ん
でおきます。

```
# 関数を読み込む
!pip install mpb_lib -qU
from mpb_lib.apis import get_rp
```

　関数を読み込んで準備ができたら、その次のセルを実行してみてください。東京
の降水確率を取ってくる関数get_rpを使ってみましょう。

```
# 東京の降水確率
get_rp()
```

この関数を呼び出すと、東京の
降水確率が返ってきますよ。

実行結果

30

　出力セルに、実行したときの降水確率が表示されています。降水確率は**指標**の仲
間です。出かけるときは、降水確率を確認することがあると思います。
　この指標の数によって、「かさ(umbrella)を持って行くかどうか」という**状態**を変
えるプログラムを作ってみましょう。「プログラム3-2」の次のセルを実行してくだ
さい。

```
# かさを持つ？
rainy_percent = get_rp()
if rainy_percent > 50:
    umbrella = 1 # 持つ
else:
    umbrella = 0 # 持たない

print(umbrella)   # 結果を表示
```

降水確率を変数に入れてから、条件にします。

条件の「50」という数は、人によって変わるかも知れませんね。

**実行結果**

0

　このプログラムを実行したときは、東京の降水確率が30でした。そのため、出力セルには「0」（持たない）が表示されました。降水確率が50より大きいときに実行すると、「1」（持つ）が表示されるはずです。このようにすると、降水確率という量の数を調べる条件を使って、状態を変えるプログラムが作れるのです。

### 3-2-2 「順番の数」でなんでも数にする

順番の数を使うと、どんなことでも数にできてしまいます。

　プログラムは数と計算の集合体です。コンピューターは計算しかできません。人間がコンピューターに問題の答えをお願いをするためにプログラムを書くとき、**ものごと**をいったん**数**に変える必要があります。

**プログラムは問題を数に変えて計算する**

　これまで、量の数を使ったプログラムをいろいろ見てきましたね。順番の数を使うことで、**数にできることの種類を増やせる**のです。

いろいろなものごとを数に変えるとき、順番の数がとても役に立ちます。

　天気を知りたいとき、気温や降水確率、湿度のような量の数よりも、「晴れ」や「曇り」などの方が、より知りたい情報に近いですね。天気の種類を並べて、順番の数を使って数にすると、プログラムであつかいやすくなります。「晴れ＝1」「曇り＝2」「雨＝3」と順番の数として表現するのです。

■▶ 天気を順番の数にして表現する

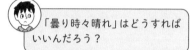

「曇り時々晴れ」はどうすればいいんだろう？

天気の「状態」を増やして、同じように順番に並べればいいのです。

　天気を順番の数にしたら、プログラムにしてみましょう。まずは、「プログラム3-2」の関数を読み込む命令が書いてある次のセルを実行します。

```
# 関数を読み込む(2)
from mpb_lib.apis import get_wr_index
```

　次に、読み込んだ関数get_wr_indexを使ってみましょう。東京の天気が、数になって表示されるはずです。

```
# 東京の天気
# 1:晴れ、2:曇り、3:雨、4:雪
weather = get_wr_index()  # 天気を得る
print(weather)  # 天気を表示
```

実行結果

2

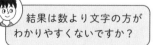

結果は数より文字の方がわかりやすくないですか？

それはそうですね。Pythonで文字を使う方法は、次の章で説明しますよ！

　プログラムを実行したときの東京の天気の数が出力セルに表示されていることを確認してください。

　次に、順番の数で表現した天気を使って、さきほどの「**かさを持つ？**」のセルのプログラムを書き換えてみましょう。それが「# かさを持つ？ (2)」です。結果は、実行したときの天気で変わります。

```
# かさを持つ？ (2)
weather = get_wr_index()  # 天気を得る
if weather >= 3:       # 雨か雪の場合
    umbrella = 1
else:
    umbrella = 0
print(umbrella)  # 結果を表示
```

> 天気が3（雨）か4（雪）だったら、傘を持って出かけるプログラムです。

**実行結果**

```
1
```

　次に、天気とifを組み合わせて、別のプログラムを作ってみましょう。「プログラム3-2」の「# 何を着ていく？」とコメントが入ったセルを見てください。

```
# 何を着ていく？
weather = get_wr_index() # 天気
shoes = 1    # スニーカー
shirts = 1  # Tシャツ

if weather == 2: # 曇りだったら
    shirts = 2 # 長そで
if weather == 3: # 雨だったら
    shoes = 2   # 長ぐつ
    shirts = 2 # 長そで
```

> 「晴れの条件」がないような……？

> 最初に変数の「shoes」「shirts」に「1」を代入しているのが「晴れ」のときの服装です。

> このプログラムだと、雪の日もスニーカーとTシャツになっちゃいますね。

セルを実行して気がついたと思いますが、このプログラムは結果が出力されません。出力セルに表示するには、print関数で変数shoesとshirtsを表示するプログラムを書き足してください（このあとの「# 無敵じゃんけん」を参考に）。

このように、順番の数を使うと、「人間が考えること」をルールに変えて、Pythonのプログラムにできます。順番の数とifを組み合わせるのです。

**チャレンジしよう**

先ほどの「# 何を着ていく？」のプログラムでは、「はくもの」（変数shoes）、「きるもの」（変数shirts）が**順番の数**になっています。

それでは、「Tシャツ」と「長ぐつ」に割り当てられた数を、それぞれ答えてください。

コメントをよく見ながら、プログラムを読むと答えが分かりますよ。

**答え**

Tシャツ：1、長ぐつ：2

## ◆ 条件に合わせて違う動作をしてみる

順番の数を使ったプログラムの練習をもう少し続けてみます。**じゃんけんの手**を順番の数に置きかえて、プログラムにしてみましょう。

「プログラム3-2」の「# 無敵じゃんけん」では、人間の出す手を**player**という変数に、コンピューターが出す手を**comp**という変数に入れることにしています。そして、どんな手を出せばコンピューターが勝てるかを、**if**を使って選ぶようにしてみました。

```
# 無敵じゃんけん
# 1:グー、2:チョキ、3:パー
player = 2   # 人間が出す手を選ぶ

if player == 1: # 人間がグーなら
    comp = 3   # コンピューターはパー
if player == 2: # 人間がチョキなら
```

代入（=）と、比較（==）に気をつけて、プログラムを読んでみてくださいね。

96

```
    comp = 1   # コンピューターはグー
if player == 3: # 人間がパーなら
    comp = 2   # コンピューターはチョキ


print(player, comp) # 人間とコンピューターの手を表示
```

**実行結果**

2 1

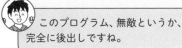
このプログラム、無敵というか、完全に後出しですね。

それに気づくのは、プログラムをちゃんと読めた証拠ですね。

第6章では、**乱数**を使ってじゃんけんの手を選ぶ方法を解説しますよ。

## 3-2-3 ちょっと古いAI（人工知能）

順番の数とifを上手に使うと、人間が考えているのと同じことをプログラムにできます。

　先ほど、「じゃんけん」のようなゲームを、プログラムにする方法について学びました。**順番の数を使うと、人間が頭の中に思い浮かべるものごとを数にしたり、ルールにしたりする**ことができます。

　人間が順番の数を使って考えることはめったにありません。でも、ものごとを数とルールに置きかえることができれば、**人間が考えるのと同じような結果を出力**するプログラムを作れるのです。順番の数を上手に使うと、もう少し複雑なゲームでもプログラムにできます。

　順番の数とifを組み合わせて、「○×ゲーム」の対戦プログラムを作ってみましょう。自分のコマを先に3つ並べた人が勝ちになることから、「三目並べ」ともいいます。

三目並べ

「○×ゲーム」というのは、こういうゲームのことです。

このゲーム、知ってます！

英語では「Tic Tac Toe（ティック・タック・トゥ）」と言いますよ。

　このゲームをプログラムにするためには、**ゲームの要素を数**にする必要があります。**コマを置く位置を順番の数**にしてみましょう。

三目並べのコマを置く位置を順番の数にする

コマを置く位置を数にするために順番の数を使いましょう。

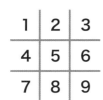

左上から、順番に数をふっていきます。

コマの位置が数になりました。すごい！

　コマを置く位置を順番の数にすると、**ゲームの進行を数で表現**できるようになります。「何番に○や×のコマを置く」と表現すればよいのです。表と数を使って、ゲームの状態を数で表現してみましょう。次の図で、左側が三目並べのゲームの状態で、○と×のコマを配置した状態を数で表現したのが右側です。

### ゲームの状態を数で表現

ゲームの状態

| ① | 2 | ✗ |
|---|---|---|
| 4 | ✗ | 6 |
| 7 | 8 | 9 |

ゲームの状態

|  | 1手目 | 2手目 |
|---|---|---|
| ✗ | 5 | 3 |
| ○ | 1 |  |

 先手の×が、1手目に真ん中(5)にコマを置きました。

 後手の○は、1手目が左上(1)。次に×が右上(3)に置いたのか。

○の2手目は、どこに置けばいいか、考えてみましょう。

この「コマを置く」という動作を、Pythonのプログラムにするにはどうすればいいでしょうか? ちょっとしたアイディアが必要になります。

コラボラトリーの「**プログラム3-3**」を開いて、プログラムの作り方を見ていきましょう。

アドレス欄に入力する文字

qrtn.jp/khqhzvi

QRコード

どちらも、次のアドレスにアクセスできます。

URL https://colab.research.google.com/github/shibats/mpb_samples/blob/main/ch03/code_3_3.ipynb

「プログラム3-3」を開いたら、最初の「# 関数を読み込む」のセルを実行して、ここで使う関数を読み込んでおきます。

```python
# 関数を読み込む
!pip install mpb_lib -qU
from mpb_lib.tictactoe import show_board
def board(): # ゲームの状態を表示する関数
    show_board(globals())
```

このセルのプログラムを見ると、関数を読み込むだけでなく、**board**という関数を定義していることが分かりますね。この関数の中身のプログラムは、筆者が作ったもので、この関数が動くしくみを完全に理解するのは、今のみなさんにはむずかしいかもしれません。でも、コメントを見れば、どんな関数かは分かりますね。動かしてみると、どんな仕事をする関数なのかがもっとよく分かりますよ。

　では、○×ゲームの対戦プログラムを作っていきましょう。プログラムを作る前に、いくつか約束事を決めておくことにします。

- プレイヤー (人間) とコンピューターが対戦します
- プレイヤー (人間) が○のコマ、コンピューターが×のコマです
- コンピューターが先手です
- コンピューターは、できるだけ勝てるようにコマを置いていきます

　先手のコンピューター (×) が、1手目に置く場所は5と決めます。プログラムを簡単にするためです。では、コンピューター (×) の1手目を、5の位置に置いてみましょう。

```
#  コンピューターが真ん中に置く
c1 = 5
```

 これ、変数に数を代入しているだけですよね。

 変数名に、少し工夫があるんですよ。

　○×ゲームで、コマを置いた状態をプログラムで表現するために、ちょっとした工夫をしてみます。次のように、**変数名のルール**を作ってみるのはどうでしょう。コンピューターの「c」と何手目かの数を組み合わせた変数名にしています。プレイヤーは「p」と何手目かの数の組み合わせです。

■● コンピューターとプレイヤーの変数名のルール

c1

コンピュータの1手目

p2

こっちは**プレイヤーの2手目**ですね！

　次の「# ゲームの状態を表示」とコメントされているセルを実行してみると、変数とコマの置き場所の対応が、もっと分かりやすくなると思います。

```
# ゲームの状態を表示
board()
```

実行結果

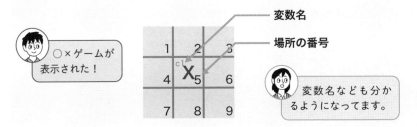

○×ゲームが表示された！

変数名

場所の番号

変数名なども分かるようになってます。

　**board**関数の中身は、筆者が書いた、この○×ゲームのボードを表示するプログラムです。PythonやHTMLなどを組み合わせたプログラムで、かなり長くむずかしいものです。でも、変数の状態がボードになって表示されて、便利な関数だということは分かりますね。今の段階では、関数の中身は気にせずに使っていきましょう。

　次に、プレイヤー（○）の1手目として、「1」の場所にコマを置きます。「# プレイヤーが1に置く」とコメントしているセルを動かしましょう。

```
# プレイヤーが1に置く
p1 = 1
board()
```

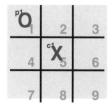

むずかしいと感じる人は、変数とコマ
の位置の対応を指でさしたりして、よく
確認しながら読んでみてください。

　プレイヤー（〇）が1手目を「1」に置いたということは、「1、2、3」か「1、4、7」
のラインをねらっているはずです。ラインをふさぎ、次の展開にそなえるためには、
コンピューター（×）は3か7に置くのが良さそうです。ここでは、3に置くことにし
ましょう。これで、「もし〇の1手目が1なら、×の2手目は3になる」というルール
ができた、ということになります。

　**変数名のルール**を使って、「〇の1手目」を変数にすると**p1**ですね。「×の2手目」
はc2です。このルールを、プログラムにしてみましょう。

```python
# 〇の1手目が1なら
if p1 == 1:
    c2 = 3   # ×の2手目を3に
board()
```

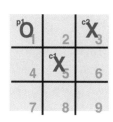

〇の1手目は、「1」だけでなく「3」や「7」
かもしれませんよね？

「if p1 == 3:」のように、ifを増やせば、
いろんな状態に対応できます。

　〇の1手目によって、×の次の打ち手が決まります。「〇の1手目が3なら×は9、
〇の1手目が7なら×は1」のように、ルールをたどりながら、次の手を決めていく
のです。
　**現在の状態を見て、次の状態を決めていくプログラムを作る**のです。現在の状態

102

は、変数を調べれば分かりますね。次の状態は、変数に代入することで決まります。このようにして、変数と数だけで、ゲームを進めていくことができるのです。

×は「3、5、7」のラインを取りにきています。〇の2手目は、当然「7」になるはずです。ここで、「もし〇の2手目が7なら、×の3手目は4」というルールを作れます。なんで「4」なのか、理由は分かりますね。

ところで、〇がうっかり、2手目として「7」以外に置いたらどうなるでしょうか。その場合、×は「7」に置いてしまえば、ゲームに勝つことができます。

```
# 〇が負ける
p2 = 2
if p2 == 7:
    c3 = 4
else:
    c3 = 7  # ×の勝ち
board()
```

**実行結果**

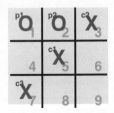

コンピューターに
負けちゃいました！

「プログラム3-3」の「# 〇が負ける」セルを実行すると、コンピューターが勝ってしまいました。負けるのはくやしいですね。次のチャレンジで、人間が負けないようにしてみましょう。

**チャレンジしよう**

先ほどの「# 〇が負ける」のプログラムの1か所だけ書き換えて、プレイヤー（人間）が負けないようにしたいと思います。どこを書き換えればよいか、答えてください。

```
# ○が負ける
p2 = 2
if p2 == 7:
    c3 = 4
else:
    c3 = 7   # ×の勝ち
board()
```

 人間が負けた原因を考えてみてください。

 2手目を「2」に打ったから、負けちゃったんですよね。

 では、どうすれば「負けずにすむ」でしょうか……？

 プログラムを書き換えて、実行しながら試してみてもいいですね。

答え
- - - - - - - - - - - - - - - - - - - - - - - - - - - - - - - - - - - - - - - - - - - - - - - -
2行目の「p2 = 2」のイコールの右側にある「2」を「7」に変える。プレイヤーの2手目を「7」に置く。

## 3-2-4 ルールとAI

かつて、ルールをたくさん集めれば、コンピューターも人間と同じことができると考えられていた時代がありました。

先ほどの○×ゲームの対戦プログラムを作ったときのことを、まとめてみましょう。

- 1. プログラムにしたいものを数にします
- 2. 変数と数を組み合わせて、**状態**を表現します
- 3. ルールを決めて、**次の状態**をプログラムで選びます

　数を変数へ代入するのは、記録を増やして**状態を変えていく**のと同じことです。記録とルールを組み合わせることで、次に打つべき手を決めることができます。決めた手は、同じように変数の状態を変化させて記録します。

　**2**と**3**の手順をくり返して、記録とルールの実行を続けていくと、○×ゲームの**状態を進めていく**ことができたのでした。

> 数を状態に見立てると、いろいろなものごとをプログラムで表現できます。
> 数は、状態を名前にした変数に入れます。
> これが「**プログラムの出発点バージョン2**」です。

■ プログラムの出発点バージョン2

　ついでに、「プログラムの基本形」もバージョンアップしておきましょう。

> 変数でものごとの状態をプログラムに表現します。関数やルールを使って、
> 次の状態を作り出します。
> これが、「**プログラムの基本形バージョン2**」です。

■ プログラムの基本形バージョン2

これ、関数のときに見た図と似てます。

ifを使ったプログラムも、「プログラムの基本形」と同じように見ることができる、ということですね。

　ここまで読んで、なんとなくこんなことを考えた人がいるかもしれません。

世の中にあるものごとをすべて数にできるとする。

そして、数とルールの組み合わせで、ものごとの関係をすべて表現できるなら、なんでもプログラムにできるのではないか。

　理屈で考えると、この考えは正しいように思えます。実際、コンピューターが生まれた当時の研究者たちも同じように考えました。でも、50年以上たった今でも、プログラムにならないことはたくさんありますね。

　初期のAI（人工知能）は、○×ゲームで見たのと同じようなしくみを使って作られていました。このように、ルールを集めて人間と同じことをするプログラムを作る手法を、「古典的（古い）AI」と呼ぶことがあります。

　しかし、ルールを集めたプログラムを作って、人間と同じようなことをコンピューターにさせてみると、**限界があること**が分かってきました。○×ゲームと同じく、人間とゲームの対戦をするプログラムについて見てみることにしましょう。

　**リバーシ（オセロ）**の対戦ゲームを作ることを考えます。スマートフォンのアプリなどで、コンピューターと人間が対戦をするものがありますね。実際に**強い対戦プログラムが作成できる**ことは、みなさん知っていると思います。

　リバーシは、8×8の盤面を使います。白と黒に分かれて、同じ色ではさんだコマをひっくり返して自分の色に変えながらゲームを進めます。最終的に、コマの色が多い方が勝ち、というのが簡単なルールです。

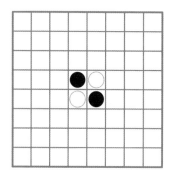

左上から順番に数をふっていくと、マスの場所を数にできますね。

横（x）、縦（y）2つの数を使って、「横：2、縦：3」のようにしてもいいですね。

　先ほどの○×ゲームにくらべると、マスの数や置き方の組み合わせが多いゲームです。そのせいもあって、単純なルールの組み合わせでは、強い対戦プログラムを作ることはできません。たとえば、角やはじを積極的に取りにいくといった、有利

になる場所を積極的に取る「場合分け」のルールを加えていくと、少し強いプログラムになります。

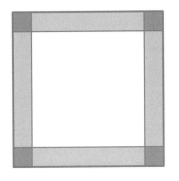
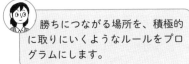

勝ちにつながる場所を、積極的に取りにいくようなルールをプログラムにします。

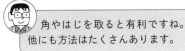

角やはじを取ると有利ですね。他にも方法はたくさんあります。

　さらに、19×19のマスがある**囲碁**ともなると、強い対戦プログラムを作るのはもっと難しくなります。昔から、強い囲碁のプログラムを作るためにいろいろな方法が試されてきました。2015年になって、「**AlphaGo（アルファ碁）**」という人工知能プログラムが、プロ棋士を破ったことを知っている人は多いと思います。

　とはいえ、どんなに強い人工知能の囲碁プログラムも、やっていることは先ほどの○×ゲームととてもよく似ています。まず、ゲームの状態を数で表現します。囲碁はたくさんの碁石を使うので、多くの数を使って状態を表現することになります。

　ゲームを進めるために必要なのは、より有利になる次の一手です。次に碁石を置くべき場所を知りたいわけです。置く場所の**数を知りたい**のです。ものすごく単純な話をすると、盤面の情報を引数にして、**次の一手となる数を返す関数**があればいいのです。

| ゲームの状態 | 順番の数 | | 次の打ち手 |
|---|---|---|---|
| → | 5,7,12,34,92… | → 関数 → | 138 |

ゲームの状態を数にします。それを引数として関数に渡して、次の打ち手を計算で出すんですよ。

現代の囲碁対戦AIは、基本的にはこういうしくみで動いています。ただし、強いプログラムにするのに、ちょっと想像できないような膨大な場合分けのルールがプログラムされています。

　たった数個の数や変数からはじまったPythonの旅も、ずいぶんたくさんの数や変数をあつかうようになりました。次の章では、たくさんの数を、Pythonでかしこく簡単にあつかう方法について見ていきましょう。

# リストと文字列

Pythonのプログラムには、順番に並んだ数がたくさん
出てきます。そのような数をかしこくあつかうための
方法を知るために、この章では次のようなことを学び
ます。

▷ リストについて
▷ 文字列について
▷ リストと文字列の計算

# 4-1 リスト

## 4-1-1 「たくさんある数」の順番

たくさんある数は、順番にならべることができます。

　この本を読みはじめたときのプログラムには、せいぜい数個の**数**しか書いてありませんでした。それが第3章の最後になると、Pythonであつかう数がずいぶん増えました。

　数が増えれば、数を入れるための**変数**もたくさん必要になります。変数が多くなると、名前を考えたり、覚えたりするのが面倒になります。プログラムを読むのもむずかしくなります。

　第3章の後半で、○×ゲームのプログラムを作りましたね。それを思い出してください。まず、ゲームの**状態を数で表現する工夫**をしたのでした。そして**変数を使って状態を保存**し、ゲームの進行をプログラムにしました。さらに、コマを次に置く場所を決める**ルールを、ifを使ってプログラム**にしましたね。

■ ゲームの状態を数で表現

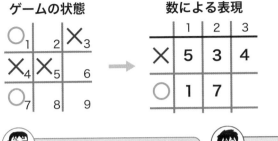

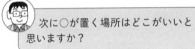

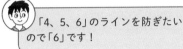

　ゲームの状態を数で表現するためには、**順番の数**を使いました。でも実は、上の図には、他にもいくつか「順番」がかくれています。たとえば、「数による表現」の「表」に並んだ数にも、順番があります。

■ 「数による表現」の表の中にも数がある

　Pythonのプログラムでは、数を順番に並べたものをとてもよく使います。

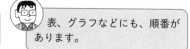

Pythonでは、順番にならべた数を便利にあつかうために、「**リスト**」というしくみを使います。リストでたくさんの数をあつかえるようになると、Pythonでもっとさまざまなプログラムが作れるようになります。

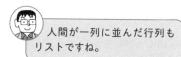

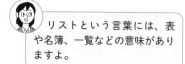

## 4-1-2 リストを使おう

「数の順番」はPythonに数えてもらおう。

「気象病」と呼ばれる病気があります。天気の変化によって引き起こされる病気のことです。たとえば、気圧が急に下がると頭が痛くなる人がいます。これも気象病の仲間です。

頭痛が起こるかどうかを事前に知ることができれば、前もって準備ができます。出かけるのをひかえたり、薬を用意したり、事前にそなえることができます。

気圧が急に下がるかどうかは、計算と条件を組み合わせたルールを使えば知ることができるかもしれません。気圧がどのくらいになるか予測した数があれば、気象病によって頭痛が起こるかどうかをプログラムで知ることができるはずです。

リストを使って、気象病が起こりそうかどうかを知るプログラムを作ってみましょう。コラボラトリーの「**プログラム4-1**」を開きます。

どちらも、次のアドレスにアクセスできます。

URL https://colab.research.google.com/github/shibats/mpb_samples/blob/main/ch04/code_4_1.ipynb

気圧の数を仮で用意します。今日から2日後までの気圧データの**予測**が、次のようになっているとします。

**2日後までの仮の気圧データの予測値**

| 0日後(今日) | 1日後 | 2日後 |
|---|---|---|
| 1013 | 992 | 998 |

数の単位はhPa (ヘクトパスカル) です。

このような気圧の数を、Pythonのプログラムであつかう方法を考えましょう。変数を使うとすると、どんな方法になるでしょうか。たとえば、アルファベットと数を組み合わせて名前のルールを作り、「bp1」「bp2」のような変数に代入してみるのはどうでしょう。◯×ゲームの対戦プログラムと似た方法ですね。

Pythonには、このような**順番に並んだ数**をあつかうのに、もっと便利な方法が用意されています。それが**リスト**です。「プログラム4-1」の最初のセルにあるのが、リストを使ったプログラムです。表にあった気圧の数が、「, (カンマ)」で区切られて並んでいますね。数はさらに「[ ] (角かっこ)」で囲まれています。角かっこで囲まれた部分がリストです。

今日から2日後までの気圧
```
bp = [1013, 992, 998]
```

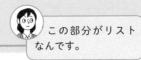

この部分がリストなんです。

一番左には、**bp**という変数があります。イコールをはさんで右にリストがあることから分かるとおり、**リストを変数に代入している**のです。

 変数って、数だけじゃなく他のものも入れられるんですね。

 Pythonの変数はとても便利な箱なんです。いろんなものを代入できます。

　リストの中にある数には、順番があります。順番は英語を使って**インデックス**と呼ばれています。リストを作ったときに、Pythonが自動的に数えてくれます。**この3つの数のリストの場合は、インデックスが「0」「1」「2」と3つ**になります。

インデックス　0　　1　　2
　　　　　[1013, 992, 998]
　　　　0日後　1日後　2日後

 インデックスの順番は**0から数え**はじめます。注意してください。

 どうして0から数えるんだろう？

次の第5章を読むと、理由の1つが分かると思います。今は理由を気にせず、**インデックスは0から数える**と覚えてください。

　気象病は、今日の気圧と明日の気圧が10以上下がると起こることが多いそうです。プログラムで、気圧の差が10以上下がる、ということを知るためにはどうすればいいでしょうか？　むずかしいと感じる人は、次のことに気をつけながら、考えてみてください。

**　　　　　プログラムを作るときは、できるだけ数を使って考えます。**

　まず、今日を「0日後」と考えてみましょう。明日は「1日後」です。この2つの気圧を引き算して、答えが10以上になるかどうかを調べます。そうすれば、気圧の下がり方が10以上かどうかがを調べられます。
　リストが入っているbpという変数から、0日後（今日）の気圧を取り出すには、次のようにします。

```
# 0日後(今日)の気圧
bp[0]
```

```
    0    1    2
[1013, 992, 998]
       |
      bp[0]
       ↓
```

実行結果

```
1013
```

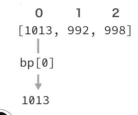

```
1013
```

同じように、「bp[1]」のようにすれば、1日後の気圧を取り出すことができます。**[ ]の中に、取り出したい数のインデックス(順番)を入れる**わけです。**インデックスは0からはじまる**、ということを忘れないようにしてください。

0日後と1日後の気圧を引き算する方法はどうすればいいでしょうか? インデックスを使ってリストから数を取り出し、引き算をすればいいのです。

```
# 0日後と1日後の気圧差
bp[0] - bp[1]
```

```
    0    1    2
[1013, 992, 998]
       |
  bp[0]- bp[1]
   ↓      ↓
 1013 - 992
```

実行結果

```
21
```

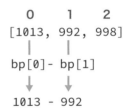

リストの入った変数を使って、インデックスの0番目と1番目の引き算をしてみました。リストに入っている数を引き算したので、計算結果は数になります。

**計算は数と同じにあつかえるので、条件の左側に置くことができます。**ifの条件分岐を使って、頭痛がおこるかどうかを判断するプログラムを考えてみましょう。頭痛がおこらない状態を「0」、おこる可能性がある状態を「1」として出力されるようにします。気圧の差の計算結果が10より大きければ、haという変数に頭痛が起こる状態(1)を代入するプログラムを作ってみます。

```
# 頭痛が起こるかどうか
ha = 0   # 頭痛
if bp[0] - bp[1] > 10:

    ha = 1
ha   # 結果を確認
```

 計算結果が10より大きいか
どうかを比較していますよ。

1

　先ほど出した計算結果が21でした。このプログラムの結果も頭痛がおこる可能性がある「1」という結果が得られました。

### ◆ リストに数を追加する

　翌日になりました。新しい気圧の予測が発表されました。その場合、リストにある気圧はどのようにすればいいでしょうか？ 0日後が1日後になる、というように、順番を変える必要がありそうです。なんだか面倒そうですね。

　Pythonのリストは、足し算を使って、中に入れる数を**追加**することができます。ただし、リストとリストで足し算をする必要があります。

　ここでは、足したい数は1つだけです。数を1個だけ持ったリストと、変数に入っているリストを足してみましょう。次の「**# 一日経過**」のセルを実行してみましょう。

```
# 一日経過
# 気圧をリストに足す
bp = [1014] + bp
```

```
[1014] + [1013, 992, 998]
              ↓
[1014, 1013, 992, 998]
```

 合体したリストを、bpという
変数に新たに代入しています。

リストを足し算すると、2つのリスト
が合体して1つのリストになります。

　これで、bpという変数に入ったリストが、翌日を起点にしたデータになりました。気圧の差は、あまりなさそうですね。

116

　ここで、コラボラトリーのセルの順番を少し戻ってみましょう。「プログラム4-1」の「# 頭痛が起こるかどうか」とコメントに書いてあるセルを、もう一度実行してみてください。

　先ほどこのセルを実行したときと、bpという変数に入っているリストの内容は変わっています。気圧の状態が変わっても、同じプログラムが、目的どおりに動きます。ただ、データが新しくなったので、今度は出力セルに「0」(頭痛は起こらない)という結果が返ってきたはずです。1日前のリストとくらべると、気圧差は小さくなっているからです。正しい結果であることは、リストの数をみると分かりますね。

## ◆ たくさんの数をリストで上手にあつかう

　○×ゲームで使ったように、**名前のルール**で変数名に番号をつける方法で、似たようなプログラムを作ることを考えてみましょう。

　気圧を記録するためには、日付の数だけ変数が必要になります。日付が増えたら、新しい変数を追加しなければなりません。さらに、「3日前の変数bp3を2日前の変数bp2の数にして……」というように、数の個数を数えながら変数に代入をして、数の入れ替えをするプログラムを3回分も書くことになります。

### ■ 複数の数を1つのリストであつかえる

名前のルール　　　　　　　リスト

　これがリストなら、変数が1つで済みますし、いちいち数の個数を数える必要もありません。気圧の追加も足し算1回で終わります。とても簡単ですね。

> Pythonで「順番にならべた数」をあつかいたいとき、
> リストを使うとプログラムを上手に作れます。

　Pythonのリストはとても便利です。でも、インデックスの数えはじめが0からはじまったりして、最初のうちは覚えることが多く、面倒に思うかも知れません。
　もう少しリストを使ったプログラムを見ながら、使い方に慣れていきましょう。

## 4-1-3 リストの使い方を覚えよう

リストのいろいろな使い方を知って、便利に使おう。

Pythonのリストとはどういうものか、だいたい理解できたと思います。基本を理解したところで、より便利な使い方を覚えてリストともっと仲良くなりましょう。

これまで学んだリストの使い方を振り返りながら、リストの基本的な使い方をまとめてみましょう。

▷ リストの作り方

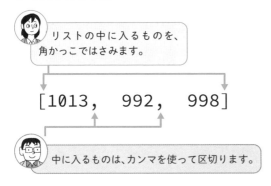

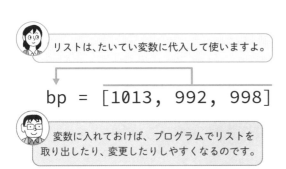

118

▷ **インデックスでできること**

 リストの中には、0からはじまる**順番**がかくれています。
これを**インデックス**と呼びます。

インデックス　　**0**　　　　　**1**　　　　　**2**

$$bp = [1013,\ 992,\ 998]$$

リストの入った変数に続けて、
**[ ]** で囲んだ**インデックス**を書く
と、中の数が取り出せます。

 **bp[2]** だったら**998**
になりますね。

$$bp[1]$$

$$992$$

 インデックスを指定してリストに**代入**を
すると、**中の数を入れ替える**ことができます。

$$bp[1] = 990$$

$$[1023,\ 990,\ 998]$$

インデックス　　**0**　　　　**1**　　　　**2**

**リスト**って、**変数**みたいに、数を入れたり、
入れ替えることができるんですね。

リストは、数などの**入れ物**
として使えるのです。

▷ **リストの足し算**

$$[1014] + [1013,\ 992,\ 998]$$

$$[1014,\ 1013,\ 992,\ 998]$$

リスト同士で足し算をすると、連結（合
体）して1つのリストになります。

 連結した結果は、変数に代入し
ます。引き算はできませんよ。

　これがリストを使う基本です。リストを使いこなせるようになると、たくさんの
数をあつかうPythonのプログラムを、上手に作れるようになります。

# 文字列

💻 この節の目的

Pythonで、「データとしての文字」をあつかうときの方法を学びます。

🔍 この節で分かること

✓ 文字列とはなにか
✓ 文字列の使い方
✓ リストと文字列の共通点

## 4-2-1 文字と文字列

○→ 文字列を使うと、「分かりやすいプログラム」を作れます。

　文字はとても便利です。Pythonのプログラムは、文字や記号を組み合わせて作ります。人間は、変数や関数の名前を見ることで、プログラムの意味を理解します。プログラムの実行結果を表示するときも同じです。文字を使うことで、より分かりやすく表現できるようになります。

　これまで、いろいろな**ものごとを数に置き換える方法**を見てきました。たとえば、天気を「晴れ：1」「曇り：2」のように数に置き換えましたね。今日の天気を表示するプログラムを作るとき、結果を「1」と表示するよりも「晴れ」と文字で表示した方が、人間にとって分かりやすくなります。

　Pythonには、プログラムの中に「文字や文章そのもの」を書き込むための方法があります。それが、「文字列」と呼ばれているものです。

　文字列の使い方を学ぶために、コラボラトリーの「**プログラム4-2**」を開きましょう。

```
アドレス欄に入力する文字

qrtn.jp/8h6u9xw                    QRコード
```

どちらも、次のアドレスにアクセスできます。

URL https://colab.research.google.com/github/shibats/mpb_samples/blob/main/ch04/code_4_2.ipynb

　文字列は、「データとしての文字」をプログラムに埋め込むために使います。「プログラム4-2」の最初のセルを見てください。Pythonでは、「"」で囲まれた文字が文字列になります。詳しくはこのあとのコラムを読んでみてください。

　そして、イコールの左側には変数がありますね。Pythonの**変数には文字列も代入できる**のです。

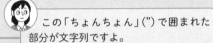

```
# 天気
weather = "天気は晴れ"
```

この「ちょんちょん」(")で囲まれた部分が文字列ですよ。

= (イコール)の左側、英語の天気(weather)と書かれているのは変数です。

じゃあ、「文字列」というのを変数に代入しているのか……!

　このセルを実行すると、「weather」という変数には、「文字そのもの」が入ります。次のセルのprint関数で表示して、中身を確認してみましょう。

```
# 文字列を表示する
print(weather)
```

実行結果

天気は晴れ

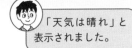

「天気は晴れ」と表示されました。

weatherという変数の中にあるものが、表示されているんですよ。

文字列を**変数**に代入するのは、**文字列を変える**ことがあるからです。数を変数に入れたときにも、再度、代入をして中身を変えたことがありました。それと同じです。

　変数に数をいれたときには、中の数を使って計算することができましたね。文字列でも足し算をすることができます。まず、「プログラム4-2」の次のセルを実行してください。これで、変数whenに「今日の」という文字列が入りました。

```
# いつの天気？
when = "今日の"
```

　文字列と文字列を足し算してみましょう。変数weatherと変数whenの中に入っている、2つの**文字列をつなげる**ことができます。

```
# 文字列の足し算
weather = when + weather
```

足し算でつなげた文字列を、weatherという変数に代入しなおしています。

2つの変数には、どちらも文字列が入っていましたね。それを+記号でつなげます。

　文字列を足し算して、変数weatherに代入しなおしました。結果を表示してみましょう。

```
# 足し算の結果を表示する
print(weather)
```

**実行結果**

今日の天気は晴れ

「今日の天気は晴れ」と表示されました。

文字列の足し算をすると**合体する**んです。リストに似ていますね。

これまで、関数を呼び出して得た結果や、ifを使って変化した状態は、数になっていましたね。**数のかわりに、文字列で状態を表現する**こともできます。

数のかわりに文字列を使うと、分かりやすいプログラムを作ることができます。

## column

意味のある文字と、データとしての文字

Pythonで文字列を書くときに使われる「ちょんちょん」(")のことを、「引用符（クォーテーション）」といいます。引用符を細かく言うと「ちょん」が1つの「'」を「**シングルクォーテーション**」、「ちょん」が2つある「"」を「**ダブルクォーテーション（二重引用符）**」といいます。日本語の「かぎかっこ」のようなものです。Pythonではシングルクォーテーションでもダブルクォーテーションでも、どちらを使ってもかまいません。引用符で囲まれた部分を文字列としてあつかってくれます。

なんでわざわざ引用符で囲むのかというと、Pythonが**文字の種類を区別する**ためです。Pythonのプログラムを書くとき、プログラムそのものに文字を使います。プログラムを書くために**特別な意味のある文字**と、**データとして埋め込む文字列**を、Pythonが理解できるように**区別して書く**のです。

■ プログラム内の特別な意味のある文字とデータとしての文字

> プログラムの中の文字は、2種類に分けられます。

### 特別な意味のある文字

変数や関数などの **名前**　　特別な意味のある **英語**　　**数字や記号**

s　c　　　　if def　　　0 1 =

> 名前は，ルールを守れば自由に作ることができます。

> 意味のある英語や記号は、使える種類が決まっています。コラボラトリーでは、「むらさき」や「青」で表示されます。

### データとしての文字

"python"　　　"日本語"　　　'100円'

> 引用符(")で囲んだ文字は、**データとしての文字**としてあつかわれます。それが**文字列**です。

123

## 4-2-2 「計算」と「データの種類」

○—— 同じ足し算でも、「何を足すか」によって結果が変わります。

「プログラム4-2」にある文字列を使った、次のプログラムを見てください。そして、どんな結果が表示されるか、予想してみてください。

```
# "100"と"200"を足す
number1 = "100"
number2 = "200"
number1 + number2
```

「100」と「200」を足すんですよね、「300」になる？

プログラムを動かすとわかります。

**実行結果**

```
100200
```

出力セルには「100200」と表示されます。文字列と文字列が**連結**したのが分かりますね。数字であっても「"」で囲んで文字列にしているので、数の計算にはならないのです。文字列と文字列の足し算は文字列の連結になります。

次のセルのプログラムはどうでしょう。

```
# 1時間と2時間を足す
time1 = "1時間"
time2 = "2時間"
time1 + time2
```

もしかして、これも2つの文字列が合体するだけですか？

そのとおりです！

**実行結果**

```
1時間2時間
```

出力セルに「1時間2時間」と表示されましたね。Pythonが文字列から数だけ抜き出してくれて、「3時間」という答えが出たら便利だと思う人がいると思います。でも、Pythonではそうなりません。文字列は、足し算をすると必ず連結になります。

　これまでみなさんは、3種類のデータについて学びました。最初は**数**について、この章では**リスト**と**文字列**について学びました。

> Pythonでは、データの種類によって計算でできることが変わります。

　数の場合は、足し算をすると2つの数を計算で加えた数が答えになります。足し算には、「加える」という操作のイメージがありますね。

　数ではない種類のデータでも、このイメージをそのまま利用して、計算ではなく連結する足し算ができるのです。つまり、リストとリストを連結したいときや、文字列と文字列を連結したいときに、足し算を使えるのです。

**■➡ リストや文字列の足し算は連結**

> リストとリストを足すと、2つのリストが連結しますね。

$$[1,2]+[3,4] \longrightarrow [1,2,3,4]$$

> 同じように、文字列と文字列を足すと、2つの文字列が連結します。

$$"ab" + "cd" \longrightarrow "abcd"$$

> 引き算はできないんですか？

> できません。「引く」というのは「取り除く」とはイメージがちょっと違いますからね。

　Pythonで**計算をするときには、必ず同じ種類のデータを使います。**リストに数を追加したいときも、リストに入れた数で足し算する必要がありましたね。文字列の場合も、文字列と文字列で足し算をします。

📜 **column**

**コンピューターでもっとも数に置き換えられるもの**

　これはコンピューターの中の話ですが、**文字はすべて数に置き換えられています。**コンピューターは、文字を読むのではなく、数を読んでいます。

文字にはたくさんの種類がありますね。数字や英字（アルファベット）、日本語だとひらがな、カタカナ、漢字、それに空白（スペース）も文字になります。コンピューターで使う文字を全部並べ、順番をつけていけば数にできます。文字を数にするにも、**順番の数**が使われているのです。

### 📛 文字も順番の数字に置き換えられている

| 文字 | a | A | 1 | 空白 | あ |
|---|---|---|---|---|---|
| 置き換わる数 | 97 | 65 | 49 | 32 | 12354 |

文字ごとにどんな数に置き換えるかが決まっているんです。

小文字の「a」と大文字の「A」は違う数になるし、「空白」も数になるんです。

「1」みたいな数字も、コンピューターの中では別の数が割り当てられているんですね。

プログラムとして打ち込む文字も、スマホでだれかに送信する文字も、コンピューターの中では数に置き換えられています。

### 📛 コンピューターに入るときも出るときも変換されている

プログラム　　　　　Pythonの中
"abc"　→変換→
　　　　[97，98，99]
　abc　←変換←
出力されるとき

コンピューターの中に入るときは、数に変換されるんです。

出力するときは、数から文字に変換されているのか！

　ちなみに、コンピューターで文字ごとに置き換える数の決まりを「**文字コード**」と呼びます。文字コードには、国際的な「規格」と呼ばれる決まりがいくつかあります。Pythonでは、インターネットでも標準的に使われている「**UTF-8**」を使うことが多いです。決まりどおりに数と文字の置き換えが行われないと、文字化けと呼ばれる読めない文字の表示になってしまいます。文字コードは本当に奥が深いので、もう少しプログラミングを学んでから、あらためて詳しく調べてみてください。

# リストと文字列を組み合わせて使う

「数」を「文字列」に変えて、プログラムを分かりやすく買い換えよう。

リストと文字列を組み合わせると、便利で使いやすいプログラムを作ることができます。コラボラトリーの「**プログラム4-3**」を開きましょう。

アドレス欄に入力する文字

qrtn.jp/jhging7

QRコード

どちらも、次のアドレスにアクセスできます。

URL https://colab.research.google.com/github/shibats/mpb_samples/blob/main/ch04/code_4_3.ipynb

前節でリストを使って、気象病の判定プログラムを作りましたね。同じプログラムを、文字列を使って作り直してみましょう。

```
# 気象病を判定
bp = [1013, 992, 998]
message = "頭痛は起こらなそうです"
if bp[0] - bp[1] > 10:
    message = "頭痛が起こるかも知れません"
print(message)
```

前に作ったプログラムでは、頭痛が起こりそうかどうかを「0」と「1」で表現していましたね。

**実行結果**

頭痛が起こるかも知れません

結果を文字列で表示した方がわかりやすいです！

前節で作ったプログラムでは、順番の数（0・1）を結果になる変数に代入していました。頭痛が起こりそうかどうか、という**状態を、数を入れた変数を使って表現**していたのです。その**状態の数を文字列で置き換え**れば、結果をより分かりやすく伝えることができるようになります。文字列のよくある使い方です。

第2章で作った不快指数のプログラムも、文字列にすると分かりやすくなります。「プログラム4-3」の次のセルを実行して、東京の今日の不快指数を得る関数を読み込みます。

```
# 関数を読み込む
!pip install mpb_lib -qU
from mpb_lib.apis import get_di, get_wr_index
```

関数から不快指数を得られたら、ifで場合分けをします。変数に文字列を代入することで、状態を表現してみましょう。

```
# 不快指数を分かりやすくする
di = get_di()   # 不快指数
message = "暑い"
if 75 <= di < 80:
    message = "少し暑い"
if 60 <= di < 75:
    message = "快適"
if di < 60:
    message = "寒い"
print(message, di)
```

 ここは「75以上で80より小さい」という条件になりますよ。

 変数を真ん中にして、くらべたい数で左右をはさむのです。

 こんな書き方ができるのか。他のifにも、似た条件が書いてありますね。

**実行結果**

快適 68.4371

結果はプログラムを実行したときに得られる不快指数で変わります。ifの条件の部分で、2つの数と条件の記号を組み合わせて「60以上で75より小さい」「60より小さい」が書いてあるのも分かりましたか。条件によって、「暑い」「少し暑い」のように結果に合った文字列を変数に代入しています。最後の行で文字列を出力して、快適さの度合いを表示していますね。

次に、第3章で東京の天気予報を数で得る関数があったのを覚えていますか？「プログラム4-3」の次のセルで、東京の今日の天気を得て、表示してみましょう。

```
# 東京の今日の天気(数)
wi = get_wr_index()
print(wi)
```

実行結果

```
2
```

　この結果も、文字列にすると分かりやすくなります。順番の数を使った状態を、文字に変えるパターンです。先ほどのセルに続けて、次のセルを実行しましょう。

```
# 数の天気を文字列にする
weather = "晴れ"
if wi == 2:
    weather = "曇り"
if wi == 3:
    weather = "雨"
if wi == 4:
    weather = "雪"
print(weather)
```

 いつプログラムを動かすかによって、表示される天気が変わりますよ。

実行結果

```
曇り
```

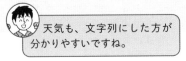 天気も、文字列にした方が分かりやすいですね。

　文字列の足し算を使って、もう少し分かりやすくしましょう。次のプログラムを実行して、先ほどの文字列を入れた変数weatherに連結してみます。

```
# 文字列の足し算を使う
prefix = "東京の今日の天気は"
weather = prefix + weather
print(weather)
```

東京の今日の天気は曇り

このプログラムは、リストを使うともっとスマートに書き直せますよ。

文章にするとさらに分かりやすくなりますね！

興味と余裕のある人は、コラボラトリーの「プログラム4-3」にある「オマケ 文字列のリスト」のプログラムを見て、読んで、動かしてみてください。

新しいことを学ぶと、プログラムをより便利に書き換えることができるようになりますね。また、ちょっとした思いつきで、プログラムに機能を追加することもあるかも知れません。

**一度作ったプログラムを、書き換えてみたり、機能を追加したりすることは、Pythonプログラミングの勉強ではとても大事なことです。**

第3章の最後に出てきた「**プログラムの基本形バージョン2**」を思い出してください。リストや文字列はどちらも、Pythonのプログラムでは変数に入れられます。リストと文字列は、数と同じように**状態**を表現するために使われるのです。

これを、「**プログラムの出発点バージョン 2.5**」としておきましょう。

■▶ プログラムの出発点バージョン2.5

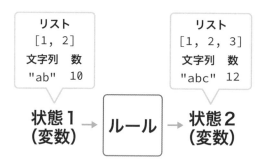

この章で、変数に入れるものの種類が増えました。次の章では、**ループ**について学びます。リストや文字列のように**順番に並んだデータをあつかう**ための、とても強力な機能を学んでいきましょう。

# Chapter 5

# プログラムのくり返し

順番に並んだ数について学んだら、次は順番に計算を
してみましょう。この章では、そのために使われる
「ループ」について学びます。

▷ ループの基本
▷ ループを使った計算
▷ 文字列とループ
▷ ループと関わりの深い関数

# 5-1 ループ

💻 **この節の目的**

Pythonでプログラムのくり返しを行う「ループ」について学びます。

🔍 **この節で分かること**

✓ どんなときにループを使うのか
✓ forを使ったループの書き方

## 5-1-1 計算のくり返し

「めんどくさい」を楽にしよう。

わたしたちの身の回りには、**順番に並べた数**がたくさんあります。順番に並べた数には、よくある「作られ方」があります。時間を区切って、同じ種類の数を並べることによって作られることが多いのです。

天気予報で見かける**降水確率**も、時間を区切って順番に並べることがよくありますね。降水確率を並べることで、雨が降るかどうかを、より細かく知ることができて便利です。仮に次のように降水確率の数字がならんでいたとします。

📮 **6時間ごとの降水確率の表**

| 6時間後 | 12時間後 | 18時間後 | 24時間後 |
|---|---|---|---|
| 30 | 20 | 0 | 10 |

 数がたくさんあって、分かりづらいですね。

 計算をすると、分かりやすい数に変えることができますよ。

132

　計算を使うことで、順番に並べた数を分かりやすく変えることができます。よく使われるのが**平均**です。

　Pythonを使って平均を計算してみましょう。コラボラトリーの「**プログラム5-1**」を開きます。

どちらも、次のアドレスにアクセスできます。

URL https://colab.research.google.com/github/shibats/mpb_samples/blob/main/ch05/code_5_1.ipynb

　まずは、仮に作った降水確率をプログラムにしてみましょう。順番に並んだ数は、リストに入れるとプログラムを上手に作れるのでした。リストは変数に代入します。「プログラム5-1」の最初の「# 降水確率（6時間ごと）」のセルを実行し、リストをrplという変数に代入します。

```
# 降水確率（6時間ごと）
rpl = [30, 20, 0, 10]
```

 なんとなく降りそうな、降らなそうな……。

 平均を計算して、わかりやすくしてみましょう。

　このリストにある数の平均は、次のような手順で計算できます。

- 1. 4つの数をぜんぶ足す
- 2. 個数で割る

　この手順を、プログラムにしてみましょう。リストを入れた変数はrplです。「プログラム5-1」の次のセルを実行してください。

```
# 平均値を計算する
t = 0     # 合計を足す変数を0に
t = t + rpl[0]    # 順番に足す
t = t + rpl[1]
t = t + rpl[2]
t = t + rpl[3]
average = t / 4 # 合計を個数(4)で割る
print(average)
```

合計を足す変数tを用意して、まず0にします。

そして、合計を足す変数tに、0個目から3個目までの4つの降水確率を足して行きます。

変数の「average」という名前は、「平均」という意味の英語からつけました。

実行結果

```
15.0
```

結果は「15.0」と表示されました。雨はあまり降らなそうですね。

　このプログラムのように、リストにある数をぜんぶ計算する、というプログラムを作ることは本当に多いのです。

　Pythonでは、このようなプログラムを書くためにループというしくみを使います。「プログラム5-1」の次のセルのプログラムにある「for」というのは「～から」、「in」は「～の中に」という意味の英語です。

```
# ループを使って平均を計算する
t = 0     # 合計を足す変数を0に
for rp in rpl:
    t = t + rp
average = t / 4 # 合計を個数(4)で割る
print(average)
```

「気圧を順番に足す」プログラムが、1行になっているのがわかります。

プログラムが短くなりました！

実行結果

```
15.0
```

同じ結果が表示されることから、平均を計算できていることがわかります。

似たような足し算をしている行が、まとまったからですね。

134

　変数に混ざって、英語が増えてきました。これまでと同じ方法を使って、プログラムの動きを確認してみましょう。

　プログラムを読むときは、**変数の名前に注目**するのでした。次の図では、**太字になっていない文字が変数**です。コラボラトリーでは、変数は色がついていない黒い文字（ダークモード表示では白い文字）で表示されています。

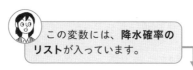

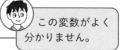

　forのすぐあとに、**rp**というナゾの変数が書いてありますね。この変数の役目を理解できれば、Pythonのループが分かります。変数に注目しながら、プログラムの動きを次の図で説明してみます。

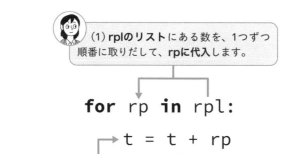
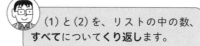

　これが、Pythonの**ループを使ったくり返しの手順**です。ループの中で、変数がどのように変化していくのか、一歩ずつ確認してみましょう。具体的な数を使って、手順を書いてみます。

- **1回目**：rplの0番目（インデックス0）の30をrpに代入します。t+rpをtに代入。tに入っている合計が30になります。
- **2回目**：rplの1番目（インデックス1）の20をrpに代入します。t+rpをtに代入。t

に入っている合計が50になります。

- **3回目**：rplの2番目（インデックス2）の0をrpに代入します。t+rpをtに代入。tに入っている合計は50のままです。
- **4回目**：rplの3番目（インデックス3）の10をrpに代入します。t+rpをtに代入。tに入っている合計が60になります。

 プログラムの中では、こんな計算が行われているんですね。

 最後にtに入っている60を4で割るので、**average**が15.0になるんです。

> Pythonで、同じ計算をくり返し実行したいときにループを使います。
> ループ1回ごとの変数の変化を追っていくと、
> ループの中で行われていることがよく分かります。

**rp**という変数に起こっていることを、ちょっとくわしく説明しましょう。ループの**in**のあとにあるリストの先頭から、数を1つずつ取り出します。取り出した数を**rp**という変数に**代入**して、ループを実行していきます。たとえば、1回目の代入の様子をプログラムで書くと、こんな風になります。

```
rp = rpl[0]
```

「リストから数を取り出す」と考えると、リストの数が減っていくように感じるかも知れません。実際は、インデックスを使って数を取り出して代入しているだけなのです。だから、ループを実行しても、rplのようなリストの中の数は変化しません。

##  forでループする

└─○ プログラムの「お決まりの部分」を見つけよう。

Pythonのプログラムを読むときの、ちょっとしたコツを教えましょう。

プログラムの中には、**お決まりの部分**があります。defやifのように、特別な意味を持つ英語がそうです。関数を作るプログラムでは、最初にdefが置かれます。ifは、条件の前に置かれますね。どちらも**決まった場所**に置かれる文字です。

Pythonのプログラムの中で、特別な意味を持つ英語には予約語（よやくご）という名前がついています。ループの場合は、**for**と**in**という2つの予約語が出てきます。**コロン（：）**をふくめた3つの部品は置く場所が決まっています。

**for でループするときの書き方**

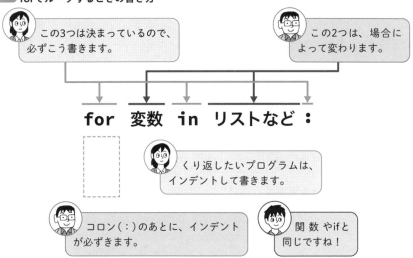

**for は「ループがはじまる合図」です。in のあとには「ループで使うリスト（など）」を置きます。**for と in にはさまれた変数は、たいていそのあとのインデントのプログラムの中で使われます。この**変数の名前に注目する**と、くり返し実行される部分がどんなプログラムなのかが分かりやすくなります。

> プログラムで、**お決まりの部分にはさまれた「変わる部分にある名前」**に
> 注目すると、プログラムが読みやすくなります。

「プログラム5-1」の次のプログラムを見てください。太字になっているのが、「お決まりの部分」です。

137

```
# 突然雨が降る
rpl = [0、10、90、20]
t = 0   # 合計を足すための変数
for rp in rpl:
    t = t + rp
average = t / 4    # 平均を計算
print(average)
```

30.0

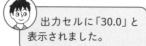
出力セルに「30.0」と
表示されました。

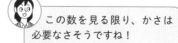
この数を見る限り、かさは
必要なさそうですね！

inのあとに置かれる変数を**くり返し変数**といいます。くり返し変数の中の数は、**くり返しの中で毎回変わる**、ということを理解すると、Pythonのループが理解しやすくなります。

くり返し変数は、ループのインデントの中だけで使われる特別な変数です。意味がないわけではありませんが、どちらかというと大事ではない変数といえるかもしれません。**ループの中でだけ状態を変え、ループの中でだけ計算に使われる**からです。

### チャレンジしよう

先ほどの「# 突然雨が降る」のプログラムが実行される様子を、文章にしたいと思います。次の文章の空欄1から3には何が入るか、選択肢の番号から選んで答えてください。

for〜の行から、4回のループがはじまります。

• **1回目**：くり返し変数rpに[ 1 ]を代入します。tにrpが足されて[ 1 ]になります。
• **2回目**：rpに[ 2 ]を代入します。tにrpが足されて、[ 2 ]になります。
• **3回目**：rpに[ 3 ]を代入します。tにrpが足されて、100になります。
• **4回目**：rpに20を代入します。tにrpが足されて、120になります。

これでループは終了です。

**1の選択肢:** A：0、B：10
**2の選択肢:** A：4、B：10
**3の選択肢:** A：t、B：90

答え
1：A、 2：B、 3：B

　次に、「# 突然雨が降る」プログラムの出力結果を変更してみましょう。かさを持っていくかどうかを、分かりやすく表現してみましょう。変数averageの値によって表示する結果を変えるようにします。

```
# 結果を表示する
message = "かさはいりません"
if average > 50:
    message = "かさを持って行きましょう"
print(message)
```

ここでは出力は載せませんが、どんなメッセージが表示されるか、プログラムを動かして確認してみましょう。

## 5-1-3 forとifを組み合わせる
階段のようなプログラムの読み方を学びましょう。

　先ほどのチャレンジの「# 結果を表示する」というプログラムを動かすと、「かさはいりません」と表示されたはずです。でも、リストの中には、0から数えたインデックス2に「90」という数がありました。

　リストの中には、6時間ごとの降水確率が入っています。半日と少しあとには、雨が降る可能性が高いということになります。長時間出かける用事があるとき、プログラムを信じて行動したら、雨に濡れてしまいそうです。

　同じデータでも、目的によって必要な数が変わる、ということです。こういうときは、**最大値（一番大きな数）** を調べるのがよさそうです。リストの中から一番大きな数を見つけるには、いろいろな方法が考えられます。ここでは、ループと変数、そしてifを組み合わせた方法を紹介しましょう。「プログラム5-1」の次のセルのプログラムです。

```
# 最大値を計算する
rpl = [0、10、90、20]  # 突然雨が降る
m = 0   # 最大値のための変数
for rp in rpl:
    if m < rp:  # より大きな数が見つかったら
        m = rp
print(m)  # 結果を確認
```

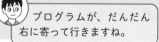

プログラムが、だんだん
右に寄って行きますね。

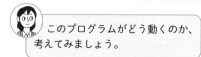

このプログラムがどう動くのか、
考えてみましょう。

段差の多いプログラムですね。ループの部分だけ抜き出して、中身をよく見てみ
ましょう。

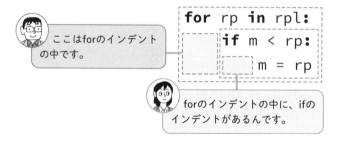

ここはforのインデント
の中です。

forのインデントの中に、ifの
インデントがあるんです。

ループのプログラムの中に、ifがあるということなのか。

そうなんです。だから、プログラムが右に寄っていくんですね。

　このプログラムのループ部分がどう動くのか、順番に見ていきましょう。くり返
しの回数ごとに、変数がどのような状態に変わっていくのかを追ってみます。
　ループに入る前、mという変数は0になっています。

- **1回目**：**rp**に0を代入します。条件（**m < rp**）が成り立たないので、なにも起こりません。
- **2回目**：**rp**に10を代入します。条件が成り立つので、**rp**が代入されて**m**が10になります。
- **3回目**：**rp**に90を代入します。条件が成り立つので、**m**が90になります。
- **4回目**：**rp**に20を代入します。条件が成り立たないので、なにも起こりません。

 変数mが、リストの中で一番大きな数になりました。

 forとifを組み合わせて、リストの中から最大値を探し出すんです。

　ループの中には、こんな風に普通のプログラムを書くことができるのです。プログラムの動きが理解できたら、セルを実行して結果を確認してみましょう。降水確率のリストの一番大きな数字が出力されるはずです。

---

実行結果

```
90
```

---

📃 **column**

## プログラムと行番号

　縦に並んだPythonのプログラムには、行ごとに番号をつけることができます。プログラムにも順番があるのです。
　Pythonの中には、**今何行目を実行しているのか**を記録している**見えない変数**のようなものがあるのです。プログラムを1行実行すると、**変数に1を足して**、次の行を実行します。これをくり返すのが、プログラムが**上から下に動く**ということです。

▶️・ **プログラムは上から下に動いていく**

**行数**
```
1  width = 20
2  height = 40
3  area = width*height
```

　**if**があると、条件が成り立つかどうかによって、行番号の変数の**増え方**が変わります。どのくらい増やせばいいかは、インデントされたブロック部分の行数を数えれば分かりますね。

■▶ 条件分岐やループでは行番号の見えない変数の増え方が変わる

```
1  rp = 60
2  if rp > 50:
3      u = 1
```
成り立つ
成り立たない

```
1  for rp in rpl:
2      t = t + rp
```

 **if**は、**条件**によって行数に
足される数が変わります。

 **for**は、ブロックの最後で行
数の変数から引き算をします。

forを使ったループがあるときは、どうなるでしょうか？　まず、インデントされたブロックの中のプログラムを順番に実行します。最後までいったら、くり返しに使うリスト（など）を調べます。リストの中身がまだ残っていたら、**行番号の変数を引き算**します。

　リストの中身がなくなっていたら、行番号を足し算します。そうすると、行番号はループのインデントのすぐ下を指すことになります。そして「ループが終了する」のです。

## 5-1-4 文字列とループ

└─● ループのinのあとには、リストだけでなく文字列を書くことができます。

　これまで見たプログラムでは、forでループを作るとき、inのあとには**リスト**が置かれていましたね。inのあとにはリストだけでなく、**なにかが順番に並んだものならなんでも置くことができます**。Pythonの文字列も、文字が順番に並んだデータの仲間です。だから、ループのinのあとに置くことができます。

　「**プログラム5-2**」を開いて、文字列とループを組み合わせたプログラムを動かしてみましょう。

アドレス欄に入力する文字　　　　　　　　　　QRコード

qrtn.jp/r28csxr

どちらも、次のアドレスにアクセスできます。

URL https://colab.research.google.com/github/shibats/mpb_samples/blob/main/ch05/code_5_2.ipynb

「プログラム5-2」の最初のセルを見てください。

```
# 末(すえ)を探せ
q = ("未未未未未未未未未未"
     "未未未未未未未未未未"
     "未未未未未未未未未未"
     "未未未未未未未未未未"
     "未未未未未未未未未未"
     "未未未未未未未未未未")
```

 変数名の「q」は「問題(question)」の頭文字です。

 これ、プログラムなんですか？

 変数に、長い文字列を代入しています。

ちょっと変わった**文字列**の書き方ですね。( )の中に引用符ではさまれた文字列が並んでいます。このようにすると、何行にもなる長い文字列を書くことができます。次のセルで、変数の中身を、ちょっと確認してみましょう。

```
# 変数の中身を確認
q
```

**実行結果**

'未未未未未未未未未未未未未未未未未未未未未未未未未未未未未未未未未未未未未未未未未未未未未未未未未未末'

 「未(み)」という漢字がたくさん表示されました。

 この中に1つだけ、「末(すえ)」という漢字が混じっていますよ。

10文字×6行＝60文字の中に、1つだけ「**末(すえ)**」という漢字が混じっています。試しに、自分の目で探してみてください。とてもむずかしいはずです。

この手の問題は、プログラムを作ると簡単に解けてしまいます。問題を数にしてとらえ、単純作業のくり返しに置きかえれば、Pythonが「末(すえ)」を見つけてくれるのです。

143

変数qに入っているのは文字列ですね。文字列は、文字を順番に並べたデータです。ですから、リストと同じようにforのinのあとに書くことができます。次のセルを見てください。

```
# 文字列を使ったループ
for c in q:
    print(c)
```

60個の文字列が入った変数を使って、ループを実行します。

実行したら、「未」という漢字が、今度は縦にたくさん表示されました。

変数qの中にある文字を1つずつ取り出して変数cに代入し、print関数で表示しているんです。

**実行すると「未」が1行に1文字ずつ表示されます。** このプログラムでは、変数qに入っている文字列の文字は、先頭から順番にcという**くり返し変数**に代入されていきます。そして、ループのインデントされたブロックにあるprint関数を実行します。同じことを、最後の文字までくり返していくのです。それで、実行すると1文字が1行ずつ表示されているのです。

プログラムを作るには、問題をできるだけ数に置き換えるのでした。「たくさんの文字の中から、1つだけ違う文字を見つける」。これが解きたい問題ですね。**違う文字の場所**が分かればいいわけです。つまり、違う文字が、先頭から数えて何番目にあるのかが分かればいいのです。

変数を使えば、ループ中で文字が**何番目**かを数えることができます。「未(み)」と違う文字「末(すえ)」があるかどうかは、ifを使えば見つかります。文字の入った変数をくらべると、等しいかどうかが分かるのです。Pythonの中では、文字は数に置きかえられます。ですから、数と同じように文字の比較ができます。

「プログラム5-2」の次のセルのプログラムを読んで、動かしてみましょう。

144

```
# 末(すえ)を探して順番を表示する
index = 0    # 順番の数を0にする
for c in q:
    if c != "末":  # "末"でない場合
        print(index)    # 答えを表示
    index = index + 1    # 順番を1つ増やす
```

この変数indexで順番を数えますよ。

実行結果

42

このプログラムの、ループのブロックの中だけ見てください。

cが「未」じゃなかったら順番を表示する、というのがifの役割ですね。

そのあとで、順番の変数(index)を1つ増やしてますね。

つまり、1文字調べるごとに、順番の変数を1足しているんです。

　ブロックの中のループは、1文字ごとに調べて「末」でない場合に順番を出力するプログラムです。

　プログラムを動かした結果が「42」と表示されました。「プログラム5-2」の「#末(すえ)を探せ」プログラムでは、文字が10個ずつ並び、6列ありました。「末(すえ)」の文字を探すために、1から数えて4行目の2列目を見てみましょう。でも、そこには見つかりません。

　なぜ見つからないのかというと、「42」の10の位の「4」は**0からはじまる**からです。0から数えて4番目の行を探します。横の列の位置はどこかというと、これも0から数えて2番目を探します。

q = （"未未未未未未未未未"　　0

　　　"未未未未未未未未未"　　1

　　　"未未未未未未未未未"　　2

　　　"未未未未未未未未未"　　3

　　　"未未未未未未未未未"　　4

　　　"未未未未未未未未未"）　5

42番目の文字なので、行は0からカウントしての「4」の行、列は0からカウントしての「2」の列になります。

　リストのインデックスでは、0から数えはじめましたね。先ほど動かしたプログラムでも、順番を数える変数（index）は0から数えはじめていました。縦横に並んだデータを数えるときに、0から数えるようにすると、都合がいいことが多いのです。プログラムを動かしてみると、このことを少しだけ実感できたと思います。

　順番に並んだ文字を、ループを使って調べるプログラムはとても重要です。長い文字列の中から、探したい文字列をあっという間に見つけることができるからです。

**文字列とループを組み合わせたプログラムは、
文字列の検索にとてもよく使われています。**

「検索」って、ネットの検索もですか？

ネットの検索はもっと高度なことをしていますが、基本は同じです。

📜 **column**

### リストのかわりに条件を使うループ — while

　**for**を使ったループでは、リストや文字列のような**順番に並んだデータ**を使ってくり返しを行いました。Pythonでループを実行するには、もう1つの書き方があります。whileという機能を使ってループを実行できるのです。

　「while（ホワイル）」というのは、「～する間」という意味の英語です。ifでも使った**条件**を続けて書いて、**条件が成り立つ間くり返しをする**のがwhileのループです。

　たとえば、qという変数に入った文字列から「末（すえ）」を探す先ほどのプログラムは、**while**を使うと次のように少し短く書くことができます。**index**という変数に注目すると、プログラムが読みやすいと思います。

```
# whileで末(すえ)を見つける
index = 0   # 順番の数を0にする
while q[index] != "末":
    index = index + 1   # 順番を1つ増やす
print(index)   # 答えを表示
```

実行結果

42

このプログラムの「q[index]」という部分がわかりません。

長い文字列の入ったqという変数から、index番目の文字列を取り出して比較しているんです。

リストでは、[ ]でインデックスを指定すると中の数を取り出せましたね。それと同じ書き方なんです。

　変数qの中の文字を順番に取り出します。取り出した文字が「末(すえ)」以外である場合はループする、という動きをするプログラムです。
　プログラミングを学びはじめたばかりの人は、whileを使ったループはあまり使わないかも知れません。使い方が少しむずかしいからです。

## 5-2 関数とループ

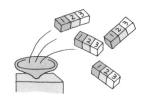

🖥 **この節の目的**

Pythonには、組み込み関数という関数がいくつかあります。その中で、ループと関係が深いものについて学びます。

🔑 **この節で分かること**

✓ 組み込み関数とはなにか
✓ ループを使ったプログラムを短く書く方法
✓ 組み込み関数の使い方

### 5-2-1 文字列と数を変換する

○ 順番に並べると、なんでもループにしたくなってきます。

　第4章で、文字列の足し算をしたときのことを思い出してください。Pythonでは、**文字列の足し算は連結**になるのでした。

　文字列が数字だけでできていても同じです。文字列の "100" と "200" を足すと "300" にはならず "100200" になります。リストでも、足し算をすると2つのリストが連結しましたね。それと同じです。

　数字だけでできた文字列を、数としてあつかいたいときは、数に変える必要があります。文字列を数に変えるには、たとえば次の図のようにループを使って数字として取り出して計算をします。

■▶ ループで文字列の数字を数にする例

文字列を数に変えるプログラムをゼロから作ってみても楽しいのですが、Python の組み込み関数を使うと、同じことが簡単にできてしまいます。「組み込み」というのは、いちいち作る必要がなくいつでも使える、というような意味です。

コラボラトリーの「**プログラム5-3**」を開いてみましょう。

どちらも、次のアドレスにアクセスできます。

URL https://colab.research.google.com/github/shibats/mpb_samples/blob/main/ch05/code_5_3.ipynb

数字だけの文字列を数に変えるには、intという関数を使います。「int」は英語の「integer（整数）」という単語を短くした名前です。

「プログラム5-3」の最初のセルで、このint関数を使って、文字列の数字を数に変えるプログラムを動かしてみましょう。

```
# 文字列を数に変える
s1 = "100"
s2 = "200"
a = int(s1) + int(s2)
print(a)    # 結果を表示
```

300  結果を見ると、数の足し算になってますよね。  本当ですね！

int関数で文字列を数にできることが分かったら、これから先のプログラムで使う関数を読み込みましょう。「プログラム5-3」の次のセルを実行しておきます。

```
# 関数を読み込む
!pip install mpb_lib -qU
from mpb_lib.apis import get_rp, get_rpl
```

intという関数を使って、さらにプログラムを作っていきましょう。次は、キーボードから入力した文字を、数に変えるプログラムを作ってみます。

Pythonでキーボードから入力した文字を受け取るには、inputという関数を使います。**キーボードから打ち込んだ文字をPythonの文字列にする関数**で、組み込み関数の仲間です。**input**と**int**という、2種類の関数を組み合わせて使ってみましょう。

```
# 文字列を入力する
area_str = input("地域番号(東京は13)")

# 地域番号は，次のアドレスにアクセスすると書いてあります
# https://nlftp.mlit.go.jp/ksj/gml/codelist/PrefCd.html
```

··· 地域番号(東京は13) 13

 プログラムを実行すると、出力セルに、入力用のフォームが表示されます。ここに数字(ここでは東京の「13」)を入力して、**エンターキー(またはリターンキー)**を押してください。

 ちなみに、ここで入力する番号は、次のURLの一覧にある東京以外の地域番号でもかまいません。

URL https://nlftp.mlit.go.jp/ksj/gml/codelist/PrefCd.html

　フォームの窓の中に入力した文字は、**input関数の戻り値となって文字列で返ってきます**。area_strという変数に、戻り値を代入しているのが分かりますね。

　文字列だとあつかいづらいので、intを使って数に変えておきたいと思います。次のセルを実行しましょう。

```
# 文字列を数にする
area = int(area_str)
# 地域を指定して降水確率を得る
rp = get_rp(area)
```

文字列を数に変えた変数**area**が、get_rpという関数の引数になっていますよ。

get_rp って、降水確率を得るための関数でしたよね。

　get_rpという関数には、かくされた機能があります。地域番号の数を引数に入れて呼び出すことで、指定した地域の降水確率を得ることができます。「# 文字列を入力する」のプログラムを実行した入力フォームに、東京の「13」以外の地域番号を指定しておけば、その地域の降水確率になるのです。これで、東京だけでなく、他の地域の降水確率も得られるようになりました。

　逆に、**数を文字列にしたいときはstrという関数**を使います。「str」は「string(文字列)」という英単語を短くしたものです。プログラムを使って数を文字列にする方法はいろいろ考えられます。桁の高い順に数を1文字ずつ取り出して、足し算をする方法はすぐに思いつくかも知れません。これもループを使うとプログラムにできそうですね。

　Pythonでは、文字列は文字列としか足し算できません。関数から受け取った数を、文字列の中に埋め込みたいときにstrを使うと便利です。

　それでは、先ほど降水確率の数を変数のrpに入れて、その数を文字列にして、降水確率を文字列で出力してみましょう。「プログラム5-3」の次のセルを実行してください。

```
#  文字列を数に変える
message = "降水確率は" + str(rp) + "%です。"

print(message)    # 結果を表示
```

 数を文字列に変換した結果を
足し算していますよ。

実行結果

降水確率は50%です。

　Pythonの変数には、数やリスト、文字列などいろいろなデータを代入すること
ができます。でも、足し算をするときは同じ**種類のデータ**でなければなりません。
文字列なら文字列と、リストならリストと足し算をする必要があるのです。組み込
み関数の**int**や**str**は、データの種類をそろえるのに使うと便利です。
　また、データの種類によって、使える計算の種類も変化します。

**Pythonでは変数に入っているデータの種類についてよく考えるようにすると、**
**プログラムをより深く読めるようになります。**

## 5-2-2 合計と最大値、最小値
　　　　　　　○ 計算にもループが数多く出てきます。

　この章の最初で、リストの合計を計算しましたね。リストにある数を、ループを
使って足していきます。そうすることで、全部の数の合計を計算していました。
　数だけが入ったリストを使って、合計を計算するのには、もっと簡単な方法があ
ります。**組み込み関数のsum**を使えばいいのです。「sum」は「合計」という意味の
英語です。
　数だけが入ったリストを引数にして関数sumを呼び出すと、合計を計算します。
結果は戻り値として返ってくるので、変数などで受け取ります。

```
# 合計を計算する
rpl = [30, 20, 0, 10]
s = sum(rpl)    # 合計を計算する
print(s)
```

rplという変数の合計を
計算しています。

実行結果

```
60
```

合計を数の個数で割り算すると、**平均値**を計算できます。

```
# 平均値を計算する
avg = s / 4
print(avg)
```

実行結果

```
15.0
```

　この章の最初に平均値を出したあとに作った**最大値**のプログラムも、組み込み関
数を使って短く作ることができます。maxという関数を使います。「max」は「最大
値」という意味の英語です。

```
# 最大値を計算する
rpl = [0, 10, 90, 20]
m = max(rpl)
print(m)
```

rplに入っているリストの
最大値を調べて返します。

実行結果

```
90
```

前に最大値を出したプログラム
とくらべると、ずいぶんスッキリ
しましたね。

組み込み関数を使いこなすと、
プログラムを短く書けるようにな
ります。

もうちょっと実用的なプログラムを作ってみましょう。get_rplという関数を使います。東京の実際の降水確率をリストで返す関数です。プログラムを動かしたときの降水確率で結果は変わります。

```
# かさは必要?
rpl = get_rpl()  # 降水確率をリストで得る
pm = max(rpl)    # 最大値を得る
if pm > 50:
    message = "かさが必要になりそうです"
else:
    message = "かさは必要なさそうです"
print(message)
```

**実行結果**

かさは必要なさそうです。

　ちなみに、**max**と似た関数に**min**があります。**最小値（もっとも小さい数）を調べる**のに使います。「min」は「最小値」という意味の英語です。先ほどの「# 最大値を計算する」プログラムを、最小値を計算するプログラムに書き換えるには、どうすればいいでしょうか。自信のある人は、ちょっとした練習として、取り組んでみてください。

 **column**

　　自然の中のループ

　虫の行動パターンには、ループが見つかることがあります。

　チョウやガの幼虫「シャクトリ虫」の動きを観察していると、同じような動きをくり返しながら進んでいるように見えます。ループをくり返して、状態を変えることで、枝をたどって前進してゆくのです。地面に落ち、ループが機能しなくなって、進めなくなったシャクトリ虫をたまに見かけます。

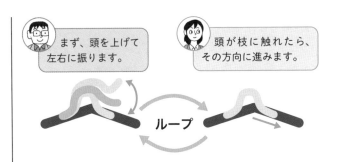

　アリの行動はもう少し複雑です。「条件分岐」や「状態の保存」を加えた手順でできています。巣を出たときに、仲間のフェロモンがあればその方向に進み、なければ適当に餌を探してウロウロします。餌を見つけると、フェロモンを残しながら巣に戻ります。また巣を出るときに、フェロモンがあればその方向に進みます。

　ただ、同じ手順をループにして、くり返していることは同じです。

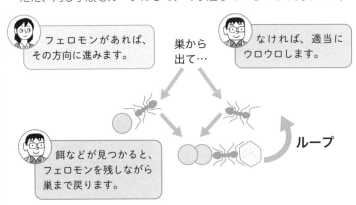

　このような手順で行動することで、見つけた餌を効率的に巣に運ぶことができるのだそうです。

## 5-2-3 回数の決まったループ、リストの長さ
●数を数えるプログラムを短く書こう。

　ここまでループのプログラムをいくつか見てきました。ループのプログラムには、2つのタイプがあったのに気づいたでしょうか。

## 1 リストや文字列の中身を順番に取り出すループ

この方法は、リストの中にある数を順番に取り出して、合計を計算するのに使いました。また、文字列の文字を1つずつ取り出して、違う文字を調べるのにも使いました。

## 2 数を数えるループ

文字列の中から見つけたい文字列を探すとき、文字の順番を調べましたね。このとき、数を0から順に増やしながら数えました。

1 のタイプのループを作りたいときは、**くり返し変数**を使いました。リストや文字列の中身が順番にくり返し変数に代入されます。ループのインデントしたブロックで、くり返し変数を使ったプログラムを書けばいいのです。

2 のタイプのループを作るときは、**数を数えるための変数**を使いました。最初に0を代入しておいて、ループのインデントしたブロックの中で変数を1ずつ増やしていきます。これが数を数える手順です。数を数える変数を別に用意する必要があったので、少し面倒でしたね。

組み込み関数をうまく使うと、くり返し変数を使って数を数えることができるようになります。ここでは、その方法をみていきましょう。

**数を数えながらループをくり返すには、range という組み込み関数**を使います。ちょっと面白い書き方なのですが、**in の次に関数を呼び出す書き方**をします。「プログラム5-3」の次のセルを見てください。

```
# 10回くり返す
for i in range(10):

    print(i)
```

> このrange関数で、0から9まで10個の数を産み出しているのです。

> セルを実行したら、0から9までの数が縦に表示されました。

> 中でどんなことが起こっているのか、見て行きましょう。

iという変数に注目して、プログラムを読んでみましょう。iは**くり返し変数**として最初に現れます。そして、インデントされたブロックの中にあるprint関数の引数にiが入れられています。

プログラムを動かすと、最初に0が表示されますね。ループの最初では、くり返し変数のiには0が代入される、ということです。そのあと、1、2と続いて、9まで数が1行ずつ縦に表示されます。これが、ループの中でiに代入される数です。

rangeという関数を呼び出すことによって、合計10個の数が産み出されていることになります。rangeという関数の引数に入っている数が個数になっています。

**rangeは、決まった回数くり返すループを作りたいときに使う関数**です。**引数にくり返したい回数を入れて、ループのinの後ろに書く**のが基本的な使い方です。すると、0から回数−1まで数を数えるループが作成できる、ということになります。

range関数を使って文字列を探してみましょう。まずは準備としてqという変数に文字列を入れるプログラムを実行しましょう。「プログラム5-3」の次のセルでは、「待（まつ）」の漢字の中に「侍（さむらい）」を入れてあります。まずこのセルを実行しておきます。

```
# 侍(さむらい)を探せ
q = ("待待待待待待待待待待"
     "待待侍待待待待待待待"
     "待待待待待待待待待待"
     "待待待待待待待待待待"
     "待待待待待待待待待待"
     "待待待待待待待待待待")
```

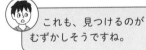
これも、見つけるのがむずかしそうですね。

プログラムを作って、探してみましょう。

「順番を数える」部分を、rangeを使って書いてみます。10文字×6行＝60文字ですから、くり返す回数は60回ですね。

くり返し変数(i)に探す文字の順番が入っています。「q[i]」のように[ ]を使って文字列から1文字だけ取り出して、ifで比較をすればよさそうです。

「プログラム5-3」の次のセルのプログラムです。比較として変数を使うプログラムを横に置いておきますので、比較しながら読んでみましょう。

```
# rangeを使って探す
for i in range(60):
    if q[i] != "待":
        print(i)
```

```
# 変数を使って数える
index = 0
for c in q:
    if c != "待":
        print(index)
    index = index + 1
```

 変数を使って数えるより、プログラムが短くなりました！

 「数を数えるための計算」をしている部分が、なくなっているからですね。

12

35

 「12」「35」の2つの答えが出力されています。「侍（さむらい）」を見つけてみましょう。

数を数えるための組み込み関数を、もう1つ紹介します。

文字列のように、プログラムに埋め込まれたデータであれば、個数はあらかじめ分かっています。でも、関数から返ってくるリストは、中の数の個数が分からないことがあります。

準備として、「プログラム5-3」の次のセルを実行して、リストのrplに降水確率の数を入れておきます。

```
# リストに数は何個ある？
rpl = get_rpl()
```

 東京の降水確率を得るための関数ですね、前も使いました。

 関数から返ってくるリストには、何個の数が入っているでしょうか？

158

リストを表示してみれば、人間の目と頭を使って個数を数えることができます。でも、「数を数える」ような面倒な単純作業は、Pythonにお願いしたいですね。そこで、次のセルを実行してください。

```
# リスト(など)の中の個数を得る
len(rpl)
```

4

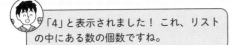
「4」と表示されました！ これ、リストの中にある数の個数ですね。

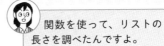
関数を使って、リストの長さを調べたんですよ。

lenという関数を使うと、**リストや文字列などの長さを調べる**ことができます。長さとは、リストなどの中に入っているものの個数のことです。引数には、長さを調べたいデータを入れます。lenは、英語の「長さ(length)」を短くした関数名です。

合計を計算する**sum**という関数がありました。sumを使って平均値を計算するとき、リストの長さ(個数)を使いましたね。

lenとsumを組み合わせて使うと、平均値は次のように計算できます。

```
# lenで平均を計算する
s = sum(rpl)    # 合計
l = len(rpl)    # 長さ
s / l           # 平均値
```

```
30.0
```

このプログラムは1行にまとめることができます。やってみましょう。

```
# 1行にまとめる
sum(rpl) / len(rpl)
```

「合計」と「長さ」の変数が、関数に置き換わっていますね。

1行にまとめるのに、変数を関数に置き換えました。「同じものは置き換えることができる」の法則です。実行すると「30.0」と先ほどと同じ結果が出力されます。

短いプログラムを、いきなり読んだり書いたりするのはむずかしいと思います。でも、いったん変数に分けて計算してからまとめると、まとめ方が分かるはずです。

「分けて書く」と「まとめる」をくり返していると、
だんだんとシンプルなプログラムが書けるようになります。

めんどうに感じるかもしれませんが、最初は「**分けて書く**」ことを心がけてみてください。そうするとプログラムの動きが分かり、だんだん「**まとめる書き方**」ができるようになります。まとめる書き方ができると、すっきりとした短いプログラムが書けるようになります。

##  組み込み関数を活用しよう

プログラムの基本形をつなげることで、長いプログラムができあがります。

この章で学んだことのまとめをしましょう。組み込み関数を使った、少し長めのプログラムを読んでみてください。「プログラム5-3」の次のセルです。

```python
# かさは必要？
# （パート1）地域番号を数で得る
message = "地域番号を入力してください"
area_str = input(message)
area = int(area_str)        # 文字列を数に変換する


# （パート2）降水確率の平均値を計算
rpl = get_rpl(area)          # 降水確率をリストで得る
avg = sum(rpl) / len(rpl)  # 平均値を計算
```

```
# （パート3）条件を使った判断
if avg > 50:
    print("かさが必要になりそうです")
else:
    print("かさは必要なさそうです")
```

 うわっ、このプログラム、ちょっと長過ぎませんか……？

 コメントをヒントに、3つのパートに分けて読むといいですよ。

この章で作ったプログラムを、まとめて1つにしてあります。よく読むと、少しだけ変わっているのが分かるはずです。プログラムの目的は、コメントを読めば分かりますね。

このプログラムを題材に、次のことに取り組んでみてください。できるところまででかまいません。

## ▷ ステップ1

まずはプログラムを実行してみましょう。

入力フォームで求められる地域番号は、次のアドレスをWebブラウザで表示すると分かります。自分の住んでいる場所や、知っている場所の番号を入力してみましょう。

URL https://nlftp.mlit.go.jp/ksj/gml/codelist/PrefCd.html

実行結果

地域番号を入力してください ［13］
かさは必要なさそうです

 表示された入力フォームに、東京の地域番号の「13」を入力して、エンターキーを押しています。

## ▷ ステップ2

次に、プログラムを読んでみましょう。

プログラムは、大きく3つのパートに分かれています。それぞれのパートで、入口となっている変数、出口となっている変数があります。まずはそれを見分けてください。3つの部分が合わさって「プログラムの基本形」になっているのが分かるはずです。

## ▷ ステップ3
　ステップ2でプログラムをサッと読めて、まだ余裕があるようなら、プログラムを改造してみましょう。
　改造のヒントを、いくつか書いておきます。

- かさを持って行く条件を変えてみる（50という数を変える）
- 降水確率の平均値ではなく、最大値を使ってみる

文字列で降水確率を表示するようにしてもいいですね。

他にも、いろいろな改造をしたくなりますね。

改造して実行しているうちに、エラーが出たら、あわてず「戻して」やり直してくださいね。

# Part 2

# Pythonの世界を
# 広げよう

Part1では、Pythonを使ったプログラミングの基本中の
基本について学びました。Part2からは、少し実践的なプ
ログラミングにつながることがらを学んでいきましょう。
この本を最後まで読めば、プログラムやAIのしくみにつ
いて、よく理解できるようになっているはずです。

## なんでも数にするってどういうこと？
### ～コンピューターの基本は何でも数にして計算している～

# データ構造と
アルゴリズム

この章では、プログラミングの基本である「数と計算の
世界」を広げるために，次のようなことを学んでいきま
す。ちょっとむずかしいと感じるところもあるかもし
れません。書いてあることを全部理解できないと感じ
てもかまいません。プログラムを動かしながら、楽し
んで学んでいってください。

▷ なんでも数にする方法
▷ データ構造とはなにか
▷ データ構造を使って「音」をあやつる方法
▷ アルゴリズムとはなにか
▷ ライブラリとはなにか

# 6-1 データ構造

## 6-1-1 数を組み合わせる

○ なんでも数にする「裏技」を教えます。

　プログラムは数と計算の集合体です。世の中には、いろいろな「ものごと」がありますね。ものごとを数として表現できれば、プログラムの入口にできます。数を計算や条件分岐、ループを使って変えることができれば、数として表現したものごとをコントロールすることができます。

　みなさんがコンピューターを通して接する**世界**は、とても自然でいきいきとしています。では、いったいどんな方法を使えば、いきいきとした**世界のできごとを「数」にする**ことができるのでしょうか。みなさんがこの本で学んできたことの中に、ヒントがあります。

**■● さまざまな「ものごと」を数にする**

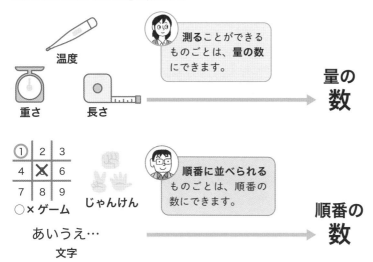

量の
# 数

順番の
# 数

「量の数」と「順番の数」。この2種類の数を使うと、たいていのことは数にできてしまうんです。

えっ！ 本当かなあ。

では、ちょっと、次のチャレンジをやってみましょう。

---

**チャレンジしよう**

　次の図にある1から4の**ものごと**を、それぞれ数にしたいと思います。それぞれ、**量の数**か**順番の数**、どちらを使えばいいか、考えて答えてください。

| 1 | 2 | 3 | 4 |
|---|---|---|---|
| 速度 | 色 | 山の高さ | オセロの<br>コマを置く場所 |

単位のあるものは、量の数になりますよ。

じゃあ、単位がないものはどうなるんだろう……？

1：量の数、2：順番の数、3：量の数、4：順番の数

チャレンジの数の違い、分かりましたか？ **1**の「速度」と**3**の「山の高さ」には、それぞれ単位がありますね。単位がある数は、プログラムで量の**数**としてあつかえます。

**2**の「色」は、「赤：0」「オレンジ：1」「黄色：2」のように順番を付けて並べると、**順番の数**にできます。**4**の「オセロのコマを置く場所」も、同じく**順番の数**にできるパターンです。

**4**の「オセロのコマを置く場所」の問題を考えているとき、2種類の方法を思いついた人がいたら、プログラミングのセンスがあります。1つは、第3章の○×ゲームと同じように、コマを置く場所を左上から数えて順番をつける方法です。もう1つは、縦・横の2つの数を使ってコマの位置に順番をつけることができますね。Excelなどの表計算ソフトのセルの指定方法を思い出してください。

**順番の数**はとても便利です。いろいろなものごとを数に変えてしまえるからです。プログラムで順番の数をうまく使いこなすコツは、きちんと**ルール**を決めることです。

「**並べ方**」と「**数え方**」をきちんと決めておくようにすると、上手に順番の数を使えます。

たとえば、英語の「A」と「B」の文字は、コンピューターではAは「65」に、Bは「66」にするとルールが決まっているんです。

なんで決まっているんですか？

並べ方と数え方のルールを決めないと、数と文字の対応が変わってしまい、不便だからですよ。

「速度」「色」「オセロのコマを置く場所」などを数にできても、まだモヤモヤが治まらない人がいると思います。世の中には、もっと複雑なものごとがたくさんありますよね。

では、どんな方法を使えば、もっと多くのものごとを数にできるのでしょうか？

よく使われるのが、**量の数、順番の数を組み合わせる**方法です。そうすると、もっといろいろなものごとを数にして、プログラムであつかうことができるようになります。

　どんな方法なのか、コラボラトリーの「**プログラム6-1**」を見ながら、学んで行きましょう。

　どちらも、次のアドレスにアクセスできます。

URL https://colab.research.google.com/github/shibats/mpb_samples/blob/main/ch06/code_6_1.ipynb

　「プログラム6-1」の最初のセルを実行してください。変数を使って、「ゲームの主人公」という**ものごと**を、プログラムの上に作り出しています。

```
# 主人公
name = "勇者"  # 名前
hp = 100       # 体力
exp = 0        # 経験値
```

> 第3章で、似たようなプログラムを見ました！

> 「名前」や「経験値」を足してみました。

　その次のセルも実行しましょう。主人公の成長を、経験値を増やすプログラムで表現しました。

```
# 経験値を増やす
exp += 20

print(exp)  # 経験値を表示
```

> この記号（+=）を使うと、「変数に20を**足して代入**」がいっぺんにできるんです。

20

 経験値が増えた！

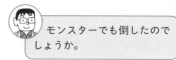 モンスターでも倒したのでしょうか。

次のセルには、人間の決めたルールを、プログラムとして書いてみました。

```
# レベルアップ
if exp >= 100:
    hp += 20
    print(name + "はレベルアップした。")
    print("体力が" + str(hp) + "になった。")
```

 あれ、このセル、実行してもなにも起こりませんよ。

 1つ前の「# 経験値を増やす」というセルを何回か実行してから、このセルを実行してみてください。

実行しても何も出力されません。ifの条件をよく見てください。**「exp >= 100」** と経験値のexpが**「100以上であれば」** となっています。そこで、1つ前の「# 経験値を増やす」のプログラムの出力が「100」になるまで実行します。それから「# レベルアップ」のセルを実行すると、出力セルが表示されます。

勇者はレベルアップした。
体力が120になった。

 経験値が100を超えたら、体力が120にレベルアップしてる！

このプログラムは、みなさんの感覚にかなり**響いた**のではないでしょうか？ プログラムの見た目はショボいですが、ゲームの中身をのぞいてしまったような気持ちになりませんでしたか？

Pythonでは、数の種類にあわせて**名前**をつけた変数を用意します。「体力」「経験値」のような**名前の集まり**をひとまとまりにして、「ゲームの主人公」という**ものごとを表現**するのです。

このような方法を応用すると、いろいろな種類のものごとを、プログラムとしてあつかうことかできるようになります。

> ものごとを、量の数、順番の数に分解します。
> それぞれに名前をつけて変数にします。
> そうして作った「名前の集まり」が「**プログラムの出発点バージョン3**」です。

変数に数を代入すると、ものごとの**状態**を表現できます。このように数で作った**状態**を、計算を使って**次の状態**に変えます。すると、**変化**をプログラムにすることができますね。

▶ プログラムで計算することで状態を変化できる

状態1
体力 = 100
経験値 = 0

経験値 + 20

状態2
体力 = 100
経験値 = 20

**計算**をすると、**状態を変化**させることができます。

主人公が**成長**しました！

**if**を使ったルールを加えると、もっといろいろな変化をプログラムにできます。計算をくり返したいときは**for**を使います。

こうやって、変数に記録された状態を変化させていきながら、プログラムが動いていくのです。

##  組み込み型とデータ構造

Pythonでは、「組み込み型」を組み合わせてものごとを表現します。

数の組み合わせでいろいろな**ものごとを表現する方法**はとても便利です。プログラムの上で起こっていることは、ほぼ間違いなくこの方法を使っています。

画面に絵を表示したいときに、よく使われる方法があります。画面の左上からの**距離**を使うのです。「たて」「よこ」の2種類の変数を使うことで、**表示する位置**をプログラムで表現できます。

**50**

**20**                    **100**

よこ＝20　　　　　　　よこ＝100
たて＝50　　　　　　　たて＝50

**画面**

「たて」と「よこ」の変数に入った
数を計算で変えると、画面の絵を移
動させることができます。

動かせるとして、もしななめに
移動させたいときはどうするんで
すか？

ななめに移動するなら、「よこ」と
「たて」の両方の数を同時に変えれば
いいんですよ。

　この方法は「座標」と呼ばれます。2次元の世界で、位置を表現するのによく使わ
れる方法です。プログラミングツールのScratchのネコちゃんも同じしくみで動き
ます。変数を1つ増やして「奥行き」を追加すると、3次元になります。

　このように、プログラムにしたいものごとがあるとき、**数に分けて表現**します。
分けたら、**分けたものに名前**をつけます。これが**変数名**になるのです。変数に数を
代入することで、どんな状態かを表現します。

　Pythonでは、分けた数の性質にしたがって、**データの種類**を使い分けます。

　Pythonのプログラムでよく使うデータの種類は「**組み込み型**」と言われます。

**▶ 数の性質によってデータの種類を分ける**

|名前|データの種類|
|---|---|
|名前|文字列|
|体力|数|
|経験値|数|

この例の**数**、**文字列**の他に、
**リスト**も組み込み型の仲間です。

リストも？このゲームに出てくる勇者の場合、
リストはどう使えばいいんだろう……？

たとえば、「持ち物」をリスト
にすると便利かも知れませんね。

実際のプログラムでは、英字で名前をつけた**変数**に数や文字列を代入します。**組み込み型**を使って、具体的な状態を表現するのです。勇者の持ち物をリストで表現してみましょう。

```
# 主人公の表現
name = "勇者"
hp = 100
exp = 0
inventory = ["剣", "盾", "薬草"]
```

 「inventory」は「持ち物」という意味の英語ですよ。

 リストの中に、数ではなく文字列が入ってますね。

 リストには、いろいろな種類のデータを入れることができるのです。

**同じ種類のデータの組み合わせ**を使って、状態の違う別の登場人物を表現することもできます。たとえば、農民という登場人物をプログラムであつかえるように表現してみましょう。

```
# 農民の表現
name = "農民A"
hp = 20
exp = 100
inventory = ["伝説のくわ", "奇跡の種"]
```

 この農民、体力は低いけど、経験値が高いです。

 すごくおいしい作物を作りそうですね。

このように、**同じ種類のデータを組み合わせ**て使うと、**同じ種類のものごと**をプログラムで表現できるのです。

「データの種類を組み合わせたもの」のことを「**データ構造**」といいます。

**データ構造**を使うと、**いろいろなものごとをプログラムにする**ことができます。

Chapter 6 データ構造とアルゴリズム

**データ構造の作り方**

データ構造の作り方には、ちょっとしたコツがあります。

プログラムで表現したい**「ものごとを数に分ける方法」**のことをデータ構造というのです。

データ構造には、種類がとてもたくさんあります。「名前」や「体力」などを使ってゲームの登場人物を数にする方法や、縦と横の数を組み合わせる「座標」のような方法は分かりやすい例ですね。

> データ構造について知ると、「どんな方法でものごとが数になっているのか」
> が分かり、プログラムへの理解が深まります。

データ構造の作り方にはパターンがあります。パターンを知っていると、プログラムを読むときにとても役に立ちます。ここでは、プログラムでよく使われるパターンをいくつか紹介しましょう。

### ◈ 1. 数を組み合わせるデータ構造─量の数を組み合わせる

ものごとは、たいていさまざまな**性質**に分けることができます。性質ごとに**量の数**をわりあてることで、プログラムで表現することができます。

この種類のデータ構造は、私たちの身の回りにたくさんあります。

**▶ 身長や体重で体格を表現できる**

身長
体重

量の数を組み合わせると、
**体格**を表現できますね。

**チャレンジしよう**

4種類の数を組み合わせてものごとを表現するデータ構造を、3つ集めてみました。次の1から3までのデータ構造は、なにを表現しているでしょうか。選択肢のAからDの中から、ふさわしいと思うものを選んで答えてください。

| 1 | 2 | 3 |
|---|---|---|
| ・気温<br>・気圧<br>・湿度<br>・降水量 | ・体温<br>・血圧<br>・血糖値<br>・BMI | ・国語の点数<br>・算数の点数<br>・理科の点数<br>・社会の点数 |

**A**：成績　　**B**：気候　　**C**：コンピューターの能力　　**D**：健康状態

 2のデータ構造の中にある「BMI」ってなんですか？

 体格を見るための指数のことですよ。

答え

1：B、2：D、3：A

## ◆ 2. よくあるデータ構造—量の数、順番の数を組み合わせる

　量の数と順番の数を組み合わせてデータ構造を作ると、いろいろなものごとをプログラムにすることができます。

　ゲームの登場人物で使ったデータ構造がこの仲間でした。このパターンのデータ構造はとてもよく見かけます。なぜなら、すごく便利だからです。

**▶ 量の数と順番の数を組み合わせたデータ構造の例**

| 名前 | データの種類 |
|---|---|
| 名前 | 文字列（順番の数） |
| 体力 | 数（量の数） |
| 経験値 | 数（量の数） |

　オセロや囲碁など、次の図のようにマスで区切られた盤面の位置をプログラムであつかうことを考えます。

**■●▶ 数を組み合わせて盤面の位置を表現**

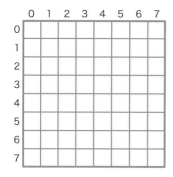

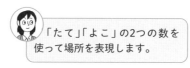

「たて」「よこ」の2つの数を
使って場所を表現します。

　Pythonのプログラムだと、x、yのような2つの変数を用意することになりそうです。この図の盤面の場合、変数に代入されるのは**数**ですね。それも、0から7までの**順番の数**です。

　変数に代入されているのが数でも、どんな数かによって性質が変わってきます。数の性質についてよく考えるようにすると、データ構造がよく見えるようになります。

### ◆ 3. 数を並べるデータ構造─量の数を順番に（多く）並べる

　この方法もとてもよく使われます。Pythonのプログラムでは、**リスト**を使って数を並べる方法がよく使われます。

　みなさんの身の回りにはいろいろなグラフがありますね。グラフになっているデータは、たいていこのデータ構造であつかえます。

**■●▶ グラフは数を並べるデータ構造であつかえる**

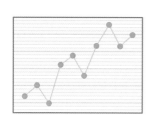

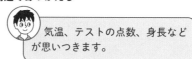

気温、テストの点数、身長などが思いつきます。

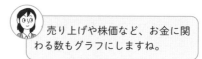

売り上げや株価など、お金に関わる数もグラフにしますね。

176

　身近でよく見かけるグラフは、小さいものだとせいぜい数個から数十個の数を並べて描かれます。コンピューターのプログラムでは、もっと多くの数を集めて使うことがあります。

　グラフになるデータでは、よく**時間で区切った量の数**が並べられます。時間の流れに沿って並べたデータのことを**時系列データ**と呼ぶことがあります。

　また、たくさんの数を使うと、いろいろな**物理現象をデータ構造に変える**ことができます。物理現象とは、自然が引き起こすいろいろな現象のことです。たとえば**音**などはその仲間です。プログラムで音をあつかうときは、たいてい音の量を短い時間で区切って数にします。「**数を並べるデータ構造**」を使うのです。「短い時間」というのがどれくらい短いかというと、1秒を2万回とか4万回に区切るくらい、短い時間です。

### 時間を区切って音の大きさを数にしたデータ構造

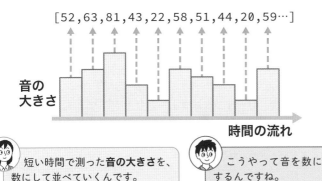

```
[52,63,81,43,22,58,51,44,20,59…]
```

音の
大きさ

時間の流れ

> 短い時間で測った**音の大きさ**を、数にして並べていくんです。

> こうやって音を数にするんですね。

　このようにして取り込んだ音のデータを使うと、プログラムで再生したり、自由に形を変えたりすることができます。次の節では、Pythonで音をあやつってみましょう。

## column

### ユーザーインターフェース（UI）

プログラムでは、**プログラムにしたいこと**をまず**数**にします。数が組み合わさって**データ構造**になるのでした。データ構造は、計算やルールを使って変化させます。データ構造は、プログラムの**入口**と**出口**になっているのです。

🔖 プログラムの入力と出力はデータ構造で表す

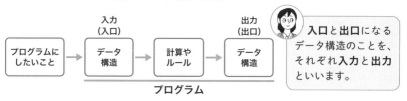

入口と出口になるデータ構造のことを、それぞれ**入力**と**出力**といいます。

現代は、**入力（入口）**になるデータ構造を作るための方法がとても発達しています。スマートフォンやタブレット、パソコンにはたくさんの**センサー**や**スイッチ**がついています。このようなしくみを使って、入口になるデータ構造が自動的に取り込まれるようになっているのです。

マイクやスピーカーのように、人間が見たり触れたりして、データ構造の出入口になるしくみのことを**ユーザーインターフェース（UI）**と呼びます。プログラムの入力と出力が豊かなのは、ユーザーインターフェースがあるおかげです。

🔖 さまざまなUIによるデータの入力と出力

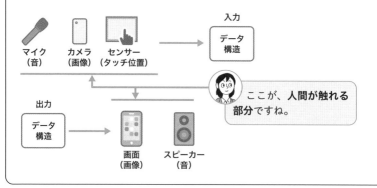

ここが、**人間が触れる部分**ですね。

# 6-2 データ構造とアルゴリズムの関係

💻 **この節の目的**

Pythonで音を加工しながら、データ構造とアルゴリズムの関係について学びます。

🔊 **この節で分かること**

☑ 計算で音をあやつるための方法
☑ アルゴリズムとはなにか
☑ データ構造とアルゴリズムの関係

## 6-2-1 Pythonで音をあやつる

数にした音を「計算」すると、音を「あやつる」こができます。

　今のコンピューターはとても高機能です。私たちが日常的に触れるいろいろな情報を、簡単にデータとして取り込むことができます。

　たとえば、**音は量の数をたくさん並べたデータ構造**として、コンピューターに取り込まれます。前の節で紹介した3種類のうち、3つ目の「**数を並べるデータ構造**」ですね。

　音のような**ものごと**を、なぜデータとして取り込むかというと、**プログラムであつかいたい**からです。音のような物理現象を、データ構造としてプログラムに取り込むと、計算ができるようになります。すると、プログラムでデータ構造を自由に変えることができるようになるのです。

> 音のような「ものごと」を、データ構造にすると、
> プログラムで自由にあやつることができます。

ここまで学んできたみなさんは、もうプログラムを読めるようになっているはずです。音をあやつるPythonのプログラムを、読んだり動かしたりしてみましょう。そうすれば、「プログラムで音を自由にあやつる」というのがどういうことか、きっとよく分かるはずです。コラボラトリーの「**プログラム6-2**」を開いてください。

アドレス欄に入力する文字

qrtn.jp/48djjvg

 QRコード

　どちらも、次のアドレスにアクセスできます。

URL https://colab.research.google.com/github/shibats/mpb_samples/blob/main/ch06/code_6_2.ipynb

　まずは、「プログラム6-2」の最初のセルにある関数を読み込みましょう。

```
# 関数を読み込む
!pip install mpb_lib -qU
from mpb_lib.sound import load, play
```

 **load**と**play**という2つの関数を読み込みますよ。

「load」は「読み込む」、「play」は「再生する」という意味の英語です。

　読み込んだload関数を使ってみましょう。loadは筆者が用意した音のデータ構造を読み込む関数です。関数を呼び出すとき、音階（音の高さ）を引数に指定します。このとき、「ド」を「c」、「レ」を「d」のように、アルファベットに置きかえます。音楽で音階を表現するときに、このようなアルファベットをよく使います。
　「プログラム6-2」の次のセルを実行してください。

```
# ド(c)の音を読み込む
c = load("c")
```

 loadという関数は、**文字列**を**引数**にして呼び出します。

関数の引数って、数や変数だけじゃなく、文字列も使えるんですね。

180

　関数を呼び出したときに返ってくる**戻り値**を、cという変数に代入するプログラ
ムを実行しました。cという変数には何が入っているのか、表示するプログラムが
次のセルです。

```
# cの中身を確認する
c
```

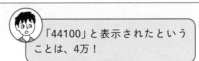

実行すると、すごくたくさんの数が
縦に並んで表示されます。長すぎて、
ここでは載せられません。

cという変数には、たくさんの数
が入ったリストが代入されているん
です。

　このプログラムを実行すると、さまざまな数がたくさん縦に並んで表示されます。
では、変数cに入ったリストには、何個くらいの数が入っているか、len関数を使っ
て調べてみましょう。

```
# リストの長さを調べる
len(c)
```

**実行結果**

```
44100
```

「44100」と表示されたという
ことは、4万！

　なんと4万個以上の数がリストとして入っています。この数の集まりにどんな音
が入っているか、音を確認してみましょう。筆者が用意したplay関数を使って再生
することができます。「プログラム6-2」の次のセルを実行すると、出力セルに再生
用の画面が表示されるので、三角のボタンを押して音を鳴らしてください。

```
# cの音を聞いてみる
play(c)
```

「ド」の音が鳴ったと思います。音を数のリストにしてプログラムで鳴らせるしくみを簡単に説明すると次の図のようになっています。

たとえば、ピアノの音をマイクなどで収音します。収音した音の量を、ここでは1秒あたり2万回に分けて数値にしたリストとして記録します。その音の数のリストをプログラムで読み込んで再生するのです。

音を数のリストにして鳴らすしくみ

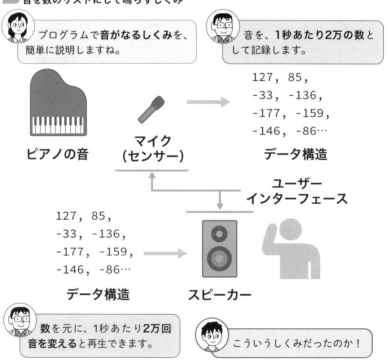

今回用意したリストは1秒あたり約2万回音を記録したデータ構造です。約4万の数があるので、2秒間の音が再生されることになります。それでは、次のセルを実行して、「レ」から「シ」までの音も、それぞれ変数に読み込みましょう。

```
# レ〜シを読み込む
d = load("d")   # レ(d)
e = load("e")   # ミ(e)
f = load("f")   # ファ(f)
g = load("g")   # ソ(g)
a = load("a")   # ラ(a)
b = load("b")   # シ(b)
```

cに加えて、dからbまでの変数に、音を数に変えたリストが代入されます。

それぞれのリストには、4万の数が入っているんです。

play関数に渡す引数を、少し変えて実行してみましょう。c（ド）、d（レ）、e（ミ）の3つの変数を足し算してみます。すると、3つの音が順番に再生されます。

```
# リストの足し算
play(c + d + e)
```

**実行結果**

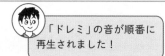

「ドレミ」の音が順番に再生されました！

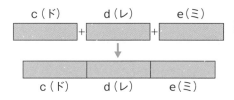

リストの足し算をした結果が、音として再生されるんです。時間も6秒になっていますね。

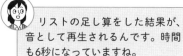

### 6-2-2 スライス─リストの一部を切り出す

リストの中身を短く切ると、音を短く加工することができます。

2秒の音を3個つなげると、6秒の音が再生されました。6秒だと、音が鳴り終わるまで長く待たなくてはならず面倒です。音を**短く加工**してみましょう。

リストで鳴らしている音を「短くする」とは、どういうことでしょうか。プログラムを作るときは、「できるだけ数に置き換えて考える」のでしたね。リスト上に

ある音を短くするとは、リスト上の数の**長さを短くする**ということです。

　リスト上の数のうち、いらない部分を消してしまうのも1つの方法です。Pythonではたいてい、リストのうち必要な部分だけをコピーして短いリストを作ります。forのループを使って、リストの中にある数をコピーすることもできます。

### ▶ リストの必要な部分だけをコピーして切り出す

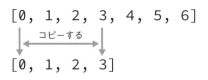

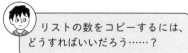

　Pythonでは、**リストの一部を切り取ってコピーする**とき、スライスという機能を使います。プログラムでよく使われる手順なので、簡単に実行できるようになっているのです。

　**スライス**を使ってみましょう。4万個（2秒間）の数があるリストのうち、先頭の4千個だけを切り取ります。そして、音を再生して、短くなったか確認してみましょう。「プログラム6-2」の次のセルを実行します。

```
#  スライスを使ってリストを短くする
play(c[:4000])
```

このように書くと、リストの先頭から4000個だけ取り出せるんです。

**実行結果**

▶ 0:00/0:00 ━━━ ◀)） ⋮

音の長さが短くなりました！

約4万で2秒だったので、4千だと0.2秒くらいですね。

リストから切り出すスライスの書き方は、次の図のようになっています。**「: (コロン)」の前後に、リストのはじまりとおわりの数 (インデックス) を書きます。**はじまりを省略すると最初から、おわりを省略すると最後までの指定になります。

スライスの指定の方法

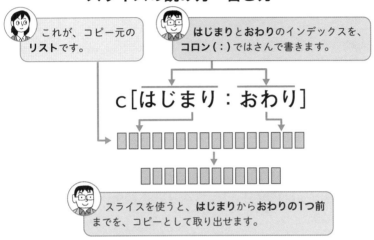

スライスの読み方・書き方

これが、コピー元の**リスト**です。

**はじまり**と**おわり**のインデックスを、**コロン (:)** ではさんで書きます。

c[はじまり：おわり]

スライスを使うと、**はじまり**から**おわりの1つ前**までを、コピーとして取り出せます。

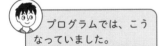

プログラムでは、こうなっていました。

c[：4000]

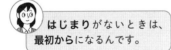

**はじまり**がないときは、**最初から**になるんです。

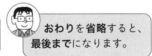

**おわり**を省略すると、**最後まで**になります。

スライスはとても便利です。もう少し使ってみて、スライスともっと仲良くなりましょう。「プログラム6-2」の次のセルを見てください。

```
# 短くした音をつなげる
play(c[:4000] + d[:4000] + e[:4000])
```

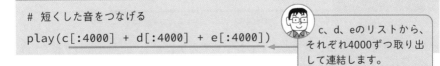

c、d、eのリストから、それぞれ4000ずつ取り出して連結します。

▶ 0:00/0:00 ⎯⎯⎯ 🔊 ⋮

短い「ドレミ」が再生されました！

スライスで短くしたリストを、足し算して
いるのがよく分かりますね。

　スライスを使うと、音の長さをいろいろに変えることができることが分かりました。それではちょっとむずかしいことをやってみましょう。リストを使って曲を演奏してみます。たとえば、「プログラム6-2」の「# 曲を演奏しよう」のセルを実行してみてください。

```
# 曲を演奏しよう
play(c[:18000] + d[:6000] + e[:18000] + c[:6000] +
    e[:12000] + c[:12000] + e[:12000])
```

▶ 0:00/0:03 ⎯⎯⎯ 🔊 ⋮

この曲、聞いたことありますか？

あります。「ドレミの歌」ですね！

　変数や記号が多くなってきましたね。無理に読む必要はありませんが、時間をかけてじっくり読めば、きっと理解できるはずです。関数呼び出しの部分、足し算、引数、変数名やスライスなど、部分ごとに区切るようにすると、少し読みやすくなると思います。

## チャレンジしよう

　先ほどの「# 曲を演奏しよう」のプログラムが簡単に読めてしまった、という人は、別の曲を演奏するプログラムにチャレンジしてみましょう。音階と鳴らす長さを変えていけばいろいろな曲を演奏することができますよ。

## 6-2-3 リスト中の数を足す─音を重ねる

リストの中の数を足し算すると、音を「重ねる」加工ができます。

プログラムで音を加工する方法を、他にも試してみましょう。今度はもう少し計算っぽい方法を使います。2つの音の平均を計算してみましょう。

リストの数を取り出し、それぞれの数の**平均**を計算するのです。あとはループを使って、同じ計算を順番にくり返します。計算した数はリストに登録していき、新しいリストを作ります。

### ▶ リストの数を計算してみる

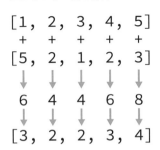

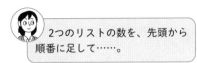

2つのリストの数を、先頭から順番に足して……。

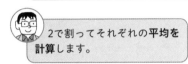

2で割ってそれぞれの**平均を計算**します。

この手順を、関数にしてみましょう。2つのリストを元にして、新しいリストを作る関数を作ります。元になる2つのリストが**引数**になります。関数で作った新しいリストが**戻り値**になります。

「プログラム6-2」の次のセルを見てください。array_addという関数名のうち、「array」はリストのようなデータ構造のことを意味する英語です。「add」は「足す」という意味の英語です。

```
# リストにある数を足し算する
def array_add(s1, s2):
    new_list = []    # 新しいリスト
    for i in range(len(s1)):
        v = s1[i] + s2[i]
        v = v / 2
        new_list += [v]
    return new_list
```

少しむずかしい関数なので、ムリに読む必要はありません。

自信のある人は、ぜひ関数の中身を読んでみてください。

関数の中身を読まなくても、新しく作った**array_add**という関数がどんな機能を持っているのかは分かりますね。引数として渡したs1とs2の2つのリスト上の数をそれぞれ平均して、新しいリストを作って返すのでした。

　この関数を使って2つの音のリストを平均して、新しいリストを作ってみましょう。次のセルを実行すると何が起こるでしょうか。

```
# ドとミの音を重ねる
ce = array_add(c, e)
play(ce)   # 音を鳴らす
```

▶ 0:00/0:02 ━━━ 🔊 :

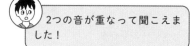
2つの音が重なって聞こえました！

音を平均すると、**和音**になるんですよ。

　2つの音を重ねて作った音に、さらにもう1つの音を重ねてみましょう。次のセルのプログラムを実行してみましょう。

```
# ドミとソの音を重ねる
ceg = array_add(ce, g)
play(ceg)   # 音を鳴らす
```

▶ 0:00/0:02 ━━━ 🔊 :

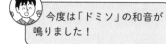
今度は「ドミソ」の和音が鳴りました！

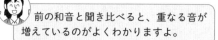
前の和音と聞き比べると、重なる音が増えているのがよくわかりますよ。

　「音を重ねる」ということを、「平均を計算する」「全部の数についてくり返す」というプログラムにして、実行してみたのです。「したいこと」を「数と計算の手順」に置きかえると、プログラムにできるのです。

## 6-2-4 アルゴリズム

アルゴリズムを使うと、データ構造を望むような状態に変化させることができます。

リストに変えた音を、プログラムでいろいろ料理してみました。そして、プログラムを動かすことで、結果を聞くことができました。音のような身近な物理現象をプログラムであやつるのは本当に楽しいですね。こういうことを簡単に試せるのが、コラボラトリーの良いところだと思います。

**データ構造**が便利なのは、いろいろなものごとの**状態を数の組み合わせで表現**できるところです。このサンプルプログラムでは、「2秒間のピアノのドの音」は、約4万個の数で表現できています。

音を**つなげるという目的**で**リストを連結**しました。**短くする目的ではスライスを使い、重ねる目的では平均を計算**しました。目的に合わせて、いろいろな手順を使いました。

データ構造を目的の形に変えるために使う手順のことを「**アルゴリズム**」と呼びます。

📙 **データ構造を目的の形に変える手順がアルゴリズム**

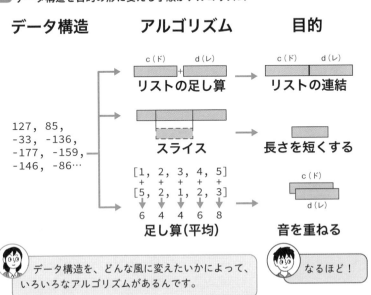

データ構造を、どんな風に変えたいかによって、いろいろなアルゴリズムがあるんです。

なるほど！

この章のはじめで学んだ、「**プログラムの出発点バージョン3**」のことを思い出してください。プログラムの出発点には、**データ構造**という呼び方があることを学びました。そして、**アルゴリズム**は、データ構造を目的の形に変えるために使うのです。この2つの言葉を使って、**プログラムの基本形**をバージョンアップしましょう。

> 　変数を組み合わせてデータ構造を作り、いろいろなものごとをプログラムで
> 表現します。アルゴリズムを使ってデータ構造を目的の状態に変えます。
> これが、**プログラムの基本形バージョン3**です。

■■➡ プログラムの基本形バージョン3

　ゲームの主人公の行動を、**よくあるデータ構造**として、プログラムで表現するとします。**アルゴリズム**を使うことで、主人公の状態を変化させています。こうしてプログラムが動いていくのです。

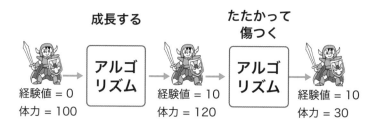

データ構造を変える計算や、プログラムの手順のことを**アルゴリズム**と言います。

なるほど！

# ライブラリ

💻 **この節の目的**

ライブラリとは何かについて学びます。ライブラリから、関数などをインポートする（読み込む）方法についても学びます。

🔎 **この節で分かること**

- ✓ ライブラリとはなにか
- ✓ ライブラリの使い方、インポートのしかた
- ✓ ライブラリのインストールのしかた

## 6-3-1 ライブラリ─アルゴリズムの図書館

●便利な関数を活用すると、プログラムを簡単に作ることができます。

　プログラムを言葉にたとえると、**データ構造は「主語（誰が・なにが）」**にあたります。そして**アルゴリズムは「動詞（どうする）」**を担当します。データ構造とアルゴリズムを組み合わせて、「物語」を作っていくのが**プログラム**です。

| 主人公が<br>（主語） | 成長する<br>（動詞） | 主人公が<br>（主語） | 魔法を得る<br>（動詞） | |
|---|---|---|---|---|

経験値 = 0<br>体力 = 100　→　アルゴリズム　→　経験値 = 10<br>体力 = 120　→　アルゴリズム　→　経験値 = 10<br>体力 = 120<br>魔力 = 40

> 長いプログラムは、「アルゴリズムで主語の状態を変える」ことをくり返して作るんです。

前節の音をコントロールしたプログラムを思い出してください。音をつなげたり、短くしたりするときは、計算（足し算）やスライスなどを使いました。**計算やスライスも、計算手順の仲間なのでアルゴリズム**と呼ぶことができます。短くプログラムが書けて便利でしたね。

　音を重ねるアルゴリズムは、計算とループを組み合わせて作りました。こちらは、関数を作る必要があって少し大変でしたね。

　でも、もし「音を重ねる関数」がどこかにあったとしたらどうでしょうか。その関数を使うだけで、簡単にプログラムが作れてしまいますね。

　ここまで読んで、「あ、そういえば」と思った人がいるかもしれません。この本ではこれまで、何度か**関数を読み込んで使った**ことがありましたね。

> Pythonで、関数（など）を外から読み込むことを**インポート**といいます。
> 読み込むための関数を置いておく場所のことを**ライブラリ**といいます。

　インポート（import）とは、「輸入する」「取り込む」という意味の英語です。ライブラリ（library）とは、「図書館」という意味の英語です。

**🏷 ライブラリから関数をインポートする**

**ライブラリ**には、いろんな**アルゴリズムやプログラム**が、整理されて入っています。

必要なものを**選んで読み込む**ことができるようになっているのです。

ライブラリ　　　インポート

ライブラリからアルゴリズムを読み込むことを**インポート**といいますよ。

**アルゴリズム**は関数になっています。

## 6-3-2 ライブラリから関数を読み込む

ライブラリには、便利なアルゴリズムがたくさん用意されています。

Pythonでライブラリから関数を読み込むには、特別な命令を使います。前の節の「**プログラム6-2**」で、ピアノの音をプログラムであつかったときに使った命令を見てみましょう。

```
from mpb_lib.sound import load, play
```

ここが**ライブラリ**を指定している部分です。

ここでは読み込む**関数**を指定しています。

英語が多くて読みづらいですね。こういうときは、**変わる部分**だけを読むとよいのでした。

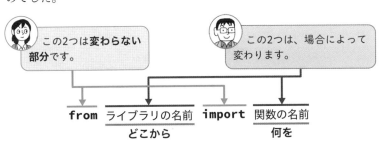

この2つは**変わらない部分**です。

この2つは、場合によって変わります。

| from | ライブラリの名前 | import | 関数の名前 |
| どこから | | | 何を |

from（フロム）は「**〜から**」という意味の英語です。import（インポート）は「**取り込む**」という意味の英語でしたね。そのあとにそれぞれ変わる部分があります。2つの変わる部分のうち、「何を」の部分が特に大事です。なぜなら、指定した関数名がそのあとのプログラムに出てくるからです。

ライブラリから関数を読み込んで、プログラムで使ってみましょう。Pythonが持っている、**標準ライブラリ**というライブラリを使ってみます。

コラボラトリーの「**プログラム6-3**」を開きます。

qrtn.jp/adt7r52

どちらも、次のアドレスにアクセスできます。

URL https://colab.research.google.com/github/shibats/mpb_samples/blob/main/
ch06/code_6_3.ipynb

まずは計算からはじめましょう。プログラミングで「乱数（らんすう）」はとても
重要です。いろいろな**ものごとのしくみの中に、乱数が組み込まれている**からです。
ゲームでもよく使っています。

　乱数は、実は計算で作ることができるのです。「プログラム6-3」の最初のセルを
実行しておきましょう。

```
# 乱数の種(seed)を初期化
seed = 3
```

まず、乱数の「種」となる
変数を初期化しています。

人気ゲーム「Minecraft」の「シード(seed)
値」と同じような意味を持っていますよ。

　上の「# 乱数の種(seed)を初期化」セルを一度実行してから、次のセルを何度も実
行してみてください。0から18までの数がランダムに表示されます。

```
# 0から18までの乱数を作る
seed = (seed * 3) % 19

print(seed)
```

この「%」記号は、**割り算のあまり**
を計算するための記号です。

実行結果

9

19で割り算したあまりが、式の答
えになって、出力されているんです。

194

　記号の「**%**」は**割り算のあまりを結果として返す記号**で、「剰余演算子（じょうよえんざんし）」といいます。19で割るので、あまりは0から18になりますよね。

　ここで、第3章の「プログラム3-2」で作った「# 無敵じゃんけん」のプログラムを思い出してください。あのプログラムでは、まず人間の手を決めて、それに勝てるようなコンピューターの手を**if**で選んでいましたね。そうではなく、ランダムな数を使ってコンピューターの手を選ばせれば、もっと「じゃんけんっぽく」なるはずです。

　じゃんけんの手は「グー」「チョキ」「パー」の3種類ですから、0から18までではなく、0から2までの乱数があればよいことになります。0から2までの数を得るには、「3で割ったあまり」を使えばいいのです。

　それでは、先ほどのセルのプログラムを書き換えて、「% 19」を「% 3」にして動かしてみてください。でも、表示される数はいつも同じになってしまうはずです。これではじゃんけんゲームに使えません。質の高い乱数を計算で作るのは、なかなかむずかしいのです。

　そこで、ライブラリにある関数を使って乱数を作ってみましょう。「プログラム6-3」の次のセルを実行して、randomライブラリからrandint関数を読み込みましょう。

```
# 乱数を作る関数を読み込む
from random import randint
```

これが乱数を作る関数です。後ろの「int」には「整数」の意味があります。

**random**というライブラリには、乱数に関係する関数などがたくさん登録されています。

　読み込んだ関数を使ってみましょう。次の「# じゃんけんをする」のセルを実行してみます。すると、実行するたびに、「0」「1」「2」の3つの数字がランダムに表示されます。

```
# じゃんけんをする
comp = randint(0, 2)
print(comp)  # コンピューターの手
```

引数の「0, 2」はどんな意味なんですか？

1

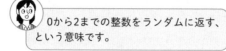

0から2までの整数をランダムに返す、という意味です。

なぜ0から2にしていたかというと、**リストのインデックス**として使いたいからです。リストのインデックスは0から数えるのでした。

じゃんけんの手の名前をリストにして、インデックスでそれぞれの手を文字列として表示するようにしてみましょう。これでコンピューターの手がランダムに表示できます。

```python
# 手の名前をリストに入れる
hands = ["グー", "チョキ", "パー"]
comp = randint(0, 2)
print(hands[comp])   # 手を文字列で表示する
```

グー

あとは、人間が手を選ぶプログラムを作れば、じゃんけんの対戦プログラムになりそうですね。第5章で学んだinput関数を使って、じゃんけんの手を入力するプログラムを作ってみましょう。

次の「# 人間の手を決める」セルを実行すると、入力用のフォームが表示されます。0、1、2どれかの数字を、半角で入力してリターンキー（またはエンターキー）を押してください。

```python
# 人間の手を決める
player_str = input("0:グー, 1:チョキ, 2:パー ")
player = int(player_str)   # 文字列を数に変換
```

**実行結果**

```
0:グー , 1:チョキ, 2:パー    2
```

人間は「パー」を出すように「2」を入力してエンターキーを押してみました。

input関数から受け取った変数を、intを使って数に変換していますよ。

　このままだと、人間の後出しじゃんけんになってしまいます。乱数を使って、コンピューターの手を選び直しましょう。

```
# コンピューターの手を決める
comp = randint(0, 2)   # コンピューターの手を乱数で決める
```

　人間とコンピューターの選んだ手を、表示してみましょう。先ほど作ったリストを使い、文字列の足し算をして文章を表示してみます。

```
# リストを使って手を表示
print("人間が"+ hands[player] + "、コンピューターが" +
      hands[comp])
```

**実行結果**

人間がパー、コンピューターがグー

出力セルに表示される文章は、どの手を選ぶかによって変わりますよ。

　では最後に、人間の手とコンピューターの手を使って、じゃんけんの勝ち負けを調べる部分を作ります。じゃんけんの手は、0から2の順番の数として変数に入っていたのを思い出してください。たとえば、playerとcompという変数が同じ数のときは「あいこ」になるはずです。このように、いろいろな手の組み合わせを、ifを使った条件としてプログラムにします。

　**「and」というのは、2つの条件を組み合わせた条件を作るときに使われる特別な書き方**です。「人間がグー（0）でコンピューターが（1）のとき」というような条件を作ることができます。

```
# 手によって，勝ち負けを判断する
if player == comp:
    print("あいこ")
if player == 0 and comp == 1:    #人：グー，コ：チョキ
    print("人間の勝ち")
if player == 0 and comp == 2:    #人：グー，コ：パー
    print("人間の負け")
if player == 1 and comp == 2:    #人：チョキ，コ：パー
    print("人間の勝ち")
if player == 1 and comp == 0:    #人：チョキ，コ：グー
    print("人間の負け")
if player == 2 and comp == 0:    #人：パー，コ：グー
    print("人間の勝ち")
if player == 2 and comp == 1:    #人：パー，コ：チョキ
    print("人間の負け")
```

実行結果

人間の勝ち

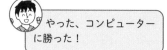 やった、コンピューターに勝った！

 「# 人間の手を決める」のセルから順番に実行すると、何度でもじゃんけんできますよ。

　もう1つ、標準モジュールのライブラリを使ってみましょう。日付の計算を行う**calendar**というライブラリから、**monthcalendar**という関数をインポートして使ってみます。

　「プログラム6-3」の次のセルを実行してみましょう。

```
# カレンダーを表示する
from calendar import monthcalendar

y = input("西暦を入力してください")
y = int(y)    # 文字列を数にする
```

monthcalendarという関数は、西暦(数)と月(数)の2つの引数を与えて使います。

198

```
m = input("月を入力してください")
m = int(m)
monthcalendar(y, m)   # のカレンダーを表示
```

**実行結果**

西暦を入力してください　　2023

月を入力してください　　9

```
[[0, 0, 0, 0, 1, 2, 3],
 [4, 5, 6, 7, 8, 9, 10],
 [11, 12, 13, 14, 15, 16, 17],
 [18, 19, 20, 21, 22, 23, 24],
 [25, 26, 27, 28, 29, 30, 0]]
```

西暦に「2023」、月に「9」を入力してエンターキーを押したら、カレンダーっぽいリストが表示されました。

週ごとの日付が入ったリストが戻り値になります。2023年9月のカレンダーですね。うるう年にも対応しています。

コラボラトリーのこれまでのセルでは、先に別のセルにしてライブラリの関数を読み込んできました。このセルでは、関数の読み込みとプログラムを1つのセルに書いています。コラボラトリーではないPythonの実行環境を使う場合など、1つのプログラムとして書く場合には、このように関数の読み込みから、プログラムの動作まですべて書くようにしましょう。

---

**column**

**モジュールとパッケージ**

　プログラミングの世界には、いろいろな「呼び名」が出てきます。「**ライブラリ**」は、「プログラミングで使う関数のような機能を、必要なときに読み込むためのしくみ」につけた名前です。Pythonだけでなく、プログラミングの世界で一般的に使われる名前です。

　Pythonでは、ライブラリの種類をさらに分類して、特別な呼び名をつけています。それが**モジュール**や**パッケージ**です。この名前を覚えておくと、これからみなさんがPythonのことをもっと深く学ぶときに役立つと思いますので、解説しておきます。次の図のように、**関数をあつめたものがモジュール、モジュールがあつまったものがパッケージ**になります。

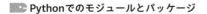
**Pythonでのモジュールとパッケージ**

モジュール

| 関数 | 関数 | 関数 |
|------|------|------|

関数などをまとめる**入れ物のこと**を、**モジュール**と呼びます。

パッケージ

| モジュール | モジュール |
|-----------|-----------|
| モジュール | |

**モジュールの入れ物**もあります。**パッケージ**と呼びます。

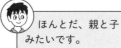
下のような**親子関係**があると思ってください。

ほんとだ、親と子みたいです。

| パッケージ | ← | モジュール | ← | 関数 |
|-----------|---|-----------|---|------|

親 　　　　　　親

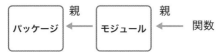

---

### 6-3-3 いろいろなライブラリ

ライブラリをインストールして、Pythonの世界を広げよう。

Pythonのライブラリには、大きく分けて2つの種類があります。標準ライブラリと外部ライブラリです。

#### ◆ 1. 標準ライブラリ

追加でインストールすることなしに、使うことができるライブラリです。Pythonでプログラムを作るときに、とてもよく使われる関数などが集められています。

この節で、標準ライブラリのうちいくつかを使ってみましたね。

便利な関数がたくさん登録されています。

## ◆ 2. 外部ライブラリ

インストールが必要なライブラリです。特別な目的のために使われるライブラリがほとんどです。プログラムの目的に合わせて、インストールする必要があります。

本書でみなさんが使ってきた**コラボラトリー**には、主にAIに関係した外部ライブラリがあらかじめインストールされています。

外部ライブラリのうち、よく使うAIのライブラリが簡単に使えるのがコラボラトリーの良い所です。

いちいちインストールしなくても、使えるようになっているんですよ。

### ▷ 外部ライブラリのインストールのしかた

**外部ライブラリ**を使うには、通常、ライブラリをインストールする必要があります。ライブラリのインストールには、特別な命令を使います。

ライブラリをインストールする命令も、みなさんはすでに見たことがあります。たとえば、6-2節の「プログラム6-2」の最初のセルで、「!pip」という文字からはじまるセルがあったのを、覚えていると思います。この文字は、ライブラリをインストールする命令なのです。

#### 外部ライブラリを読み込む命令

 これが、ライブラリをインストールする**命令**です。

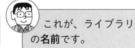 これが、ライブラリの**名前**です。

```
!pip install mpb_lib -qU
```

 コラボラトリーの中にある本棚に、ライブラリを**追加**するイメージです。

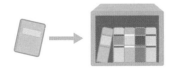

ライブラリをインストールするとき、コラボラトリーでは少し注意することがあります。一度ライブラリをインストールしても、しばらくすると消えてしまうのです。コラボラトリーでは、ライブラリのインストールはクラウド上で行われます。しばらく操作しないでおいておくと、Googleのサーバーにインストールしたライブラリが消されてしまうようになっているのです。

　ライブラリが消された状態でプログラムを実行すると、エラーがでることがあります。そういうときは、再度ライブラリをインストールするところから、セルを実行するようにします。

外部ライブラリには、とてもたくさんの種類があります。ネットを検索すると、いろいろな種類のライブラリが見つかりますよ。

第8章では、AIの機能で音声合成をする外部ライブラリを使って、プログラムを作ってみますよ。

とても楽しみです！

# Chapter 7

# オブジェクト指向を
# 使う

この章では、Pythonに入門するための最後の関門「オブジェクト指向」について学びます。これまで学んだ変数やデータ構造、アルゴリズムのような知識を土台にして、できるだけ簡単に、そして楽しく理解できるように教材を工夫してみました。プログラムを動かしながら、ぜひ取り組んでみてください。
この章では、次のようなことを学びます。

▷ データ構造と辞書の関係
▷ データ構造とオブジェクト指向の関係
▷ アルゴリズムとオブジェクト指向の関係

# 7-1 辞書

💻 **この節の目的**

Pythonでデータ構造を受け渡すときなどに使われる「辞書」の使い方について学びます。

🔑 **この節で分かること**

- ☑ 「辞書」とはなにか
- ☑ 辞書の基本的な使い方
- ☑ 辞書をより便利に使う方法

## 7-1-1 変数の「置き場所」

○━ 変数についておさらいをしましょう。

　第6章では、**データ構造**について学びました。Pythonでは、変数をいくつか組み合わせて使うことで、データ構造を作ることができます。ゲームの登場人物などに使う「よくあるデータ構造」を紹介しましたね。

▶️ **ゲームの登場人物に使うデータ構造の例**

```
name = "勇者"   # 名前
hp = 100        # 体力
mp = 20         # 魔力
```

データ構造に含まれるデータのうち、**データの種類を英語にしたものが変数名**になります。変数には、**データの種類に合わせて組み込み型を代入**します。これが、Pythonで「**よくあるデータ構造**」を作るときの基本です。

プログラムでは、**同じ種類のデータ構造をいくつもあつかいたくなる**ことがあります。たとえば、冒険の仲間が増えたとしましょう。このとき、変数を使って、同じ種類のデータ構造を作ろうと思うと、困ったことが起きるのです。

何が困るのかを説明する前に、Pythonが変数の名前を作るときのルールについて、少しくわしく解説させてください。Pythonは、**「変数の名前」と「中にあるデータ」を記録する場所を持っています**。ちょっとむずかしい言葉ですが、この記録場所のことを名前空間と言います。

**▶ 変数名と中のデータを記録する場所が名前空間**

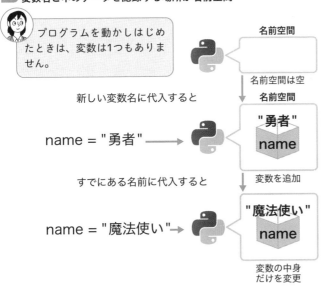

プログラムを動かしはじめたときは、変数は1つもありません。

名前空間

名前空間は空

新しい変数名に代入すると

名前空間

name = "勇者"

"勇者"
name

変数を追加

すでにある名前に代入すると

name = "魔法使い"

"魔法使い"
name

変数の中身だけを変更

**新しい変数名に代入が行われると、変数の名前を追加して箱を追加**します。代入しようとする**変数の名前がすでにある場合は上書き**になります。これが、Pythonが**変数を記録するときのルール**です。

このようなルールがあるおかげで、代入を使って変数の中身を変えることができるのです。変数の中身を変えることで、状態の変化を表現できるのでしたね。

でも、同じ性質を持った2つ以上のものを、プログラムで表現しようとすると、少し困ったことが起こります。たとえば、勇者の「名前」と魔法使いの「名前」を、プログラムで表現することを考えましょう。

「名前」を英語にして「name」という変数名を使うとします。勇者も魔女も、名前に同じnameという変数名を使おうとすると、上書きになってしまうので都合が悪いのです。

■□▷ 変数名が同じだと上書きになってしまう

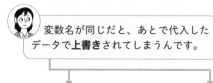

変数名が同じだと、あとで代入したデータで**上書き**されてしまうんです。

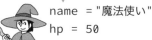

name = "勇者"
hp = 100
mp = 20

name = "魔法使い"
hp = 50
mp = 80

勇者と魔法使いで、別々の変数名を使う、という方法もあります。たとえば、次のようにです。

```
hero_name = "勇者"
hero_hp = 100
hero_mp = 20

magician_name = "魔法使い"
magician_hp = 50
magician_mp = 80
```

変数名の前に、「hero（勇者）」と「magician（魔法使い）」という単語を足してみました。

こうすれば、別の変数名になりますけど、ちょっと長くないですか？

そうですね、長いと入力が大変だし、打ち間違えてしまいそうです。

変数名が長くなると、あつかうときの入力が面倒になりそうですね。**同じ種類のデータ構造をプログラムでいくつもあつかいたい**とき、Pythonにはもっと便利な方法があります。それが辞書と呼ばれるものです。

## 7-1-2 辞書を使ってみよう

○─ データ構造を入れるのが、辞書の基本的な使い方です。

Pythonには、**データ構造の入れ物**として使える機能がいくつかあります。辞書はその仲間の1つです。

コラボラトリーで「**プログラム 7-1**」を開いて、プログラムを見ながら辞書について学んでいきましょう。

アドレス欄に入力する文字

QRコード

qrtn.jp/u5abpqz

どちらも、次のアドレスにアクセスできます。

URL https://colab.research.google.com/github/shibats/mpb_samples/blob/main/ch07/code_7_1.ipynb

ゲームの登場人物をプログラムで表現するには、「よくあるデータ構造」のパターンを使うと便利です。名前と中に入る組み込み型（データ）を集めて、データ構造を作ってみましょう。

「プログラム7-1」の最初のセルを見てください。ここまで何度も紹介してきた、変数で表現した勇者のデータ構造です。

```
# 勇者のデータ構造（変数）
name = "勇者"
hp = 100
mp = 20
```

これをふまえて、次の「# 勇者のデータ構造（辞書）」のセルを見てください。辞書で勇者のデータ構造を表現するとこうなります。記号が多くて、ちょっと読みづらいと感じる人がいると思います。読み方を解説しますので、がんばって読んでみてください。

**辞書で勇者を表すデータ構造**

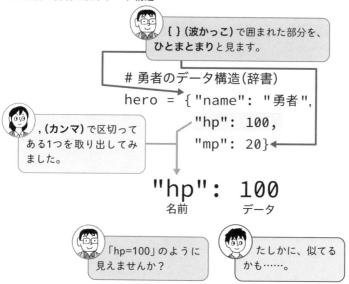

{ }（波かっこ）で囲まれた部分を、
ひとまとまりと見ます。

```
# 勇者のデータ構造(辞書)
hero = { "name": "勇者",
         "hp": 100,
         "mp": 20}
```

，（カンマ）で区切って
ある1つを取り出してみ
ました。

```
"hp": 100
```
名前　　　　　データ

「hp=100」のように
見えませんか？

たしかに、似てる
かも……。

　{ }（波かっこ）で囲まれた辞書と、変数のデータ構造をくらべてみましょう。よく見ると、辞書の中身は変数で作ったデータ構造と**同じ形**をしていますね。

| 変数 | 辞書 |
|------|------|
| name = "勇者"<br>hp = 100<br>mp = 20 | {"name": "勇者",<br> "hp": 100,<br> "mp": 20} |

辞書では、変数名がコロン(:)の左
側で、"で囲まれた文字列に変わって
いますね。

そして、変数に代入され
るデータが、コロンの右側に
あります。

コロン(:)は、イコール(＝)のかわ
りをしているように見えますよね。

なるほど！

　そしてこれが大事なことなのですが、**{ }（波かっこ）で囲まれた辞書は、「hero」という変数に代入されています。**

208

> 辞書を使うと、「よくあるデータ構造」を変数に代入できます。

　勇者と同じように、辞書を使って「魔法使い」を変数に入れてみましょう。「# 魔法使いのデータ構造（辞書）」のセルのプログラムです。

```
# 魔法使いのデータ構造（辞書）
magician = {"name": "魔法使い"、
            "hp": 50、
            "mp": 80}
```

 辞書の「name」「hp」「mp」の名前の部分が、勇者とまったく同じですよね。

本当だ！

　「hero」という変数に入れた辞書にある名前と、「magician」に入れた辞書では、**名前の種類と個数がまったく同じ**です。このことから、**同じ種類のデータ構造**であることが分かります。

　変数でデータ構造を作ったときには、同じ種類のデータを入れる変数は「hero_name」「magician_name」のように名前を変える必要がありました。辞書なら、「name」や「hp」のように、同じ名前を使うことができます。

　辞書はまるで、変数の中にデータ構造を入れることのできる**小さな世界**です。そこに**名前とデータ**を放り込んでおける感じです。

**▶ 辞書の中に入れるデータ構造**

```
{"name": "勇者"
 "hp": 100
 "mp": 20}
```

hero

```
{"name": "魔法使い"
 "hp": 50
 "mp": 80}
```

magician

辞書とはどういうものか、なんとなく分かりましたね。Pythonの辞書は、いろいろな部品を組み合わせて作ります。もう少し辞書と仲良くなるために、辞書を作るときに使う部品の呼び名について学びましょう。

　辞書に入れる：（コロン）の左側の名前の部分を「キー」と呼び、その名前に入れる数やリストが「値」となります。キーと値のセットが複数あるときには、,（カンマ）で区切って続けて書いていきます。

▶ 辞書を作る部品

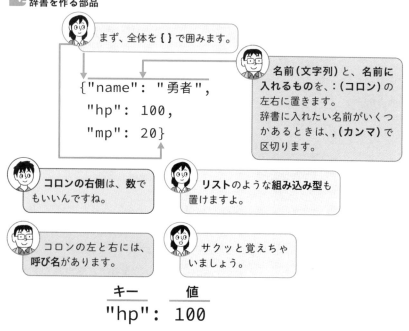

　キーを使うと、辞書の中にあるデータ構造の1つを指定して取り出すことができます。次のセルを実行すると、「hero」のname（名前）を取り出せます。

**実行結果**

```
'勇者'
```

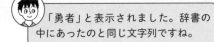

「勇者」と表示されました。辞書の中にあったのと同じ文字列ですね。

では、キー（名前）を指定して代入をするとどうなるでしょうか？「プログラム7-2」の次のセルを見てください。

```
# キーを指定して代入をする
hero["name"] = "神官"
```

えっ、こんなことできるんですか？

キーを変数と読みかえて、「name = "神官"」とすると、何が起こるか想像できると思いますよ。

このセルを実行したら、次の「# heroの中にある辞書を表示する」を実行して、結果を確認してみましょう。

```
# heroの中にある辞書を表示する
hero
```

**実行結果**

```
{'name': '神官', 'hp': 100, 'mp': 20}
```

nameというキーの値が、入れ替わりました！

辞書に対して、キーを指定して代入すると、値を入れ替えることができるんです。

変数に代入するのと似てますね。

## 7-1-3 辞書を活用しよう

└─○ インターネットから取り出した「辞書」の情報を使いこなそう。

　辞書は、「よくあるデータ構造」を変数に入れるのに便利です。変数に入れてしまえば、プログラムでデータ構造を手軽にあつかえるからです。Pythonの勉強をしていて、辞書の便利さを実感するのは**データ構造を受け取るとき**です。

　今の時代は、インターネットからいろいろな情報を手に入れることができます。ネットからやってくる情報は、「よくあるデータ構造」の形をしていることがあります。Pythonでこのような情報をあつかうとき、辞書が大活躍します。

　第2章では、天気や気象に関する情報をあつかうプログラムを紹介しました。まず、関数を使って情報をPythonに取り込みました。その情報を使って、指標を計算したり、条件分岐を使って処理を振り分けたりしました。

　このとき使った関数の中身には、ネットから情報を取ってくるようなプログラムが書いてあります。ネットから得られる天気に関する情報は、**データ構造**になっています。天気に関わるいろいろな種類の情報が、名前で分類されているのです。

　興味のある人は、データ構造の中身を、実際にWebブラウザを使って見てみてください。Webブラウザで次のアドレスを指定するかQRコードを読み取って開くと、生のデータを見ることができます。

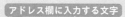

アドレス欄に入力する文字

QRコード

qrtn.jp/up884pc

うわ、細かい文字や記号がたくさん表示されました。

よく見ると、天気の情報が書いてあるのがわかりますよ。

Chapter 7 オブジェクト指向を使う

　Webブラウザには、データ構造を文字列に変換したものが表示されています。こ
れは、JSON（ジェイソン）と呼ばれる形式の文字列です。よく見ると、Pythonのリ
ストや、辞書に似た形をしているのが分かります。

　第2章で使った、天気の情報を得る関数が動くしくみについて、もう少しくわし
く説明してみましょう。はじめにインターネットから、先ほどWebブラウザで表示
した辞書のような文字列を取り出します。それをPythonの辞書に変換するのです。
辞書には天気に関するデータ構造が入っています。辞書からキーを使ってプログラ
ムで必要な情報を取り出して、戻り値として返します。これが、天気の情報を得る
関数の動くしくみです。

　ネットから取ってきたデータ構造を、実際にプログラムで使ってみましょう。
データ構造を辞書として取り込んで、プログラムで料理してみます。

　「プログラム7-1」にある「# 関数を読み込む」のセルを見てください。**「!pip」と
ありますから外部ライブラリの関数を読み込むプログラム**です。まず、これを実行
してください。

```
# 関数を読み込む
!pip install mpb_lib -qU
from mpb_lib.apis import get_eq_info, dict_print
```

**get_eq_info**と**dict_print**という
2つの関数をインポートします。

関数の使い方は、プログラムを
見ながら説明しますね。

　**get_eq_info**は、最近起こった地震の情報を得るための関数です。まず、イン
ターネットから地震の情報を取ってきます。それをPythonの辞書に変換して、関
数の戻り値として返す、ということをしています。

　次のセルを実行して、辞書になった地震の情報を変数に代入してみましょう。

```
# 地震の情報を辞書で得る
d = get_eq_info()
```

　dという変数に入っている辞書には、いろいろな情報が入っています。そのまま
表示すると、意味が分からないナゾの文字が出てきます。

　そこで、もう1つ読み込んだ**dict_print**という関数を使ってみましょう。この関

数は、Pythonの辞書をきれいに整形して表示してくれる関数です。これを使って、辞書を見やすく表示してみましょう。

```
# 辞書を整形して表示
dict_print(d)
```

```
⊖{
    "domesticTsunami": "None",
    "foreignTsunami": "Unknown",
    "hypocenter": ⊕{5 items},
    "maxScale": 20,
    "time": "2023/07/27 14:02:00"
}
```

 この「+」ボタンをクリックまたはタップすると、データが展開されますよ。

こんなのが表示されました。これが辞書の中身ですか？

読者のみなさんが見ているのとは、日付などが変わっているはずです。最新の情報を表示するようになっているからです。

 そうなんです。辞書のキーや値として、地震の情報が入っています。

　出力された中にある「+」ボタンをクリックまたはタップすると、次のように地震の情報の辞書の中身が展開されて見えます。

```
⊖{
    "domesticTsunami": "None",
    "foreignTsunami": "Unknown",
    "hypocenter": ⊖{
        "depth": 50,
        "latitude": 36.1,
        "longitude": 139.9,
        "magnitude": 3.7,
        "name": "茨城県南部"
    },
    "maxScale": 20,
    "time": "2023/07/27 14:02:00"
}
```

開いた中身も、辞書のように見えます。

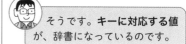 そうです。**キーに対応する値**が、辞書になっているのです。

214

　地震の情報の辞書を表示したら、**キー**と**値**がいくつか表示されています。その中の、**hypocenter**というキーの右には、**「＋」ボタン**がついていました。dict_printという関数が付け足しているボタンです。「＋」ボタンをクリックすると、また辞書が表示されましたね。辞書のキーに対応する値には、他の辞書が入っていることがあります。Pythonでは、辞書も**組み込み型**の仲間です。数や文字列、リストと同じように、辞書の値にすることができます。

　「hypocenter」とは、「震源地（地震が起きた場所）」という意味の英語です。この名前のキーに、地震のさらにくわしい情報が入っているのです。くわしい情報は**データ構造**になっています。**辞書の中に辞書が入っている**のはそのためです。

　震源地の辞書を見ると、場所（name）や地震の大きさ（magnitude）といった名前のついたキーがいくつか見えます。この辞書を使って、地震の情報を分かりやすく表示するプログラムを作ってみましょう。

　まず、hypocenterというキーに対応するデータ構造（辞書）だけを抜き出してみます。「プログラム7-1」の次のセルを実行します。

```
# 震源の辞書を抜き出す
hc = d["hypocenter"]
```

dという変数には、get_eq_infoで取ってきた、大きな辞書が入っています。

**キー**を指定して、辞書から**値**を取りだしているんですね。

　これで、hcという変数に震源の情報が代入されました。中身は辞書です。次のセルを実行して表示し、確認してみましょう。

```
# 震源の情報を確認する
dict_print(hc)
```

```
⊖{
    "depth": 50,
    "latitude": 36.1,
    "longitude": 139.9,
    "magnitude": 3.7,
    "name": "茨城県南部"
}
```

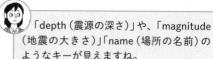

「depth（震源の深さ）」や、「magnitude
（地震の大きさ）」「name（場所の名前）の
ようなキーが見えますね。

他に「latitude（緯度）」や「longitude（経
度）」のようなキーも見えますね。

　このhcという変数に入れた辞書を使って、出力する文字列を組み立てて、地震を
伝える文章にしていきましょう。次のセルを実行してください。

```
# 地震の情報を文字列にする
m = hc["name"]    # 震源の地名
m = m + "で地震がありました。"
print(m)  # 文字列を表示
```

地震が起こった場所を文章に
埋め込んでいますよ。

茨城県南部で地震がありました。

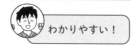

わかりやすい！

　さらに地震の強さも追加してみましょう。「# さらに情報を追加する」のセルを
実行します。

```
# さらに情報を追加する
m = m + "地震の強さは, "
m = m + "マグニチュード" + str(hc["magnitude"])
m = m + "です。"
print(m)  # 文字列を表示
```

mという変数に、文字列を
足していきます。

茨城県南部で地震がありました。地震の強さは, マグニチュード３．７です。

マグニチュードの数字を足しているところで、「str(hc["magnitude"])」となっている部分があります。引数になっている部分を見ると、「magnitude」のキーを指定して、辞書の値を取り出しているのが分かります。この値は数なので、このままでは文字列との足し算ができません。そこで、**str関数を使って文字列に変換**しているのです。

地震の情報全体を保存している辞書には、津波の情報もありました。dという変数の辞書に「domesticTsunami（日本国内の津波）」というキーがあります。データは少し特殊です。値が「"None"」という文字列だったら「津波の心配がない」という意味になります。

プログラムをもう少し書き足して、津波の心配があるかどうかの情報も文字列に追加しましょう。次のセルを実行してみましょう。

```python
# 津波の情報を追加
if d["domesticTsunami"] == "None":
    m = m + "津波の心配はありません。"
else:
    m = m + "津波に警戒してください。"
m  # 文字列を表示
```

 ifでこの条件で文字列を比較して、場合分けをしています。

**実行結果**

'茨城県南部で地震がありました。地震の強さは，マグニチュード3．7です。津波の心配はありません。'

プログラムには文字や記号がたくさんありますね。

むずかしいと感じる人は、変数に何が入っているのか、記号がどんな意味を持っているかをよく考えながら、じっくり読んでみてくださいね。

### チャレンジしよう

余裕のある人は、ここで試した、辞書を使って文字列を組み立てるプログラムを、書き換えてみましょう。書き換えるヒントになりそうなことを、いくつか書いておきます。

情報をまとめる文字列の文章や、順番を変えてみましょう。

**チャレンジ 2** 情報を追加してみる

辞書の中にはいろいろな情報があります。地震が起こった日時や、緯度や経度などの情報を追加してみましょう。

**チャレンジ 3** プログラムをまとめてみる

「# 地震の情報を辞書で得る」から「# 津波の情報を追加」までのプログラムを、1つのセルにまとめてみましょう。途中のprint関数を取り除くなど、工夫をしながらまとめてみましょう。

今回は、地震の情報を題材にプログラムを作ってみました。地震や気象など、**情報をデータ構造としてインターネットから得られるしくみ**のことをAPI（Application Programming Interface）と言うことがあります。

APIには、本当にいろいろな種類があります。辞書を使いこなせるようになると、APIから得たデータ構造を入口として、いろいろなプログラムを作ることができます。どんなAPIがあるのか調べてみると、プログラミングに活用できるアイデアにつながるかもしれません。

**column**

## リストと辞書 ─ データの入れ物

辞書は、「よくあるデータ構造」の入れ物として使われます。Pythonの組み込み型では、リストもデータ構造の入れ物の仲間です。第6章で音をデータ構造としてあつかったプログラムを思い出してください。音の強さを数として並べた時系列データを、リストに入れて音を操作しましたね。

辞書は「データ構造」　　　　　　　　　　リストは「表」

```
住所　　　：
名前　　　：
電話番号：
携帯電話：
```

 辞書は、**いろいろな種類のデータを組み合わせたデータ構造**を入れるために使います。

リストは、「数だけ」のように、**同じ種類のデータ**を入れるために使います。

**入れ物**として見ると、辞書とリストは**似た性質**を持っています。あつかい方にも、辞書とリストには**似たところ**があります。

- 1. 中にいくつかのデータを入れられる
- 2. 中身を取り出すのに角かっこ( [ ] )を使う
- 3. 角かっこ( [ ] )で中身を指定して、＝ (イコール) で代入すると、中身を入れ替えられる

Pythonは、似た性質を持ったものは、同じようにあつかうように作られているのです。それがよく分かりますね。

一方、辞書とリストには**似ていないところ**もあります。

### 1 順番

リストには順番があります。0からはじまるインデックスで、中のデータにアクセスします。

辞書には順番がありません。キーを使って中の値 (データ) にアクセスします。

**2 ループ (for) のinの右に書いたとき、くり返し変数に入るもの**

リストは中身が0から順番に入ります。辞書はキーが入ります。

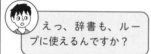 えっ、辞書も、ループに使えるんですか？

 そうなんです。くり返し変数に、辞書のキーが順番に入りながら、ループを実行するんですよ。

似た性質を持ったデータ構造は、プログラムで同じようにあつかう、というルールのようなものがPythonにはあります。

---

**チャレンジしよう**

このコラムを読んで、少し物足りないと感じた人は、コラボラトリーの「プログラム7-2」を開いて、辞書とリストの違いについてのさまざまなプログラムを動かして確認してみましょう。余裕のある人だけでかまいません。

アドレス欄に入力する文字

qrtn.jp/gkcsgur

QRコード

どちらも、次のアドレスにアクセスできます。

URL https://colab.research.google.com/github/shibats/mpb_samples/blob/main/ch07/code_7_2.ipynb

220

# 7-2 オブジェクト指向

📺 この節の目的

Pythonのプログラミングで、データ構造をあつかうときによく使われる「オブジェクト指向」について学びます。

🔗 この節で分かること

☑ オブジェクトとデータ構造の関係
☑ オブジェクトとアルゴリズムの関係
☑ オブジェクト指向とはなにか

## 7-2-1 身近なデータ構造

身近にあるデータ構造を、プログラムであつかってみよう。

　わたしたちの身の回りをよく見ると、いろいろな「数を組み合わせたもの」を見つけることができます。私たちは日常的に、**データ構造とよく似たしくみ**に囲まれて生活しているのです。

　たとえば、「時・分・秒」という3種類の数を組み合わせて、**時間を表現**しますね。これは一種のデータ構造といえます。

221

■■■ 時間の表現も一種のデータ構造

くり上がりのルールは、計算で
表現することができます。

60秒で1分、60分で1時間の
ように、それぞれの数にはルー
ルがありますね。

　学校で時間について習うとき、**時間の足し算の問題**を解くことがあります。時間
のデータ構造には**ルール**があります。秒や分が60を超えたら、**くり上がり**をしな
ければなりません。

　「10時30分の45分後」を考えるとします。多くの人は、「30と45を足すと75になる
から、1時間くり上げて、75からは60を引いて」というように、考えながら正しい
時間を導き出します。

　**条件や計算を組み合わせた手順**を使って、「11時15分」という答えを出します。
時間というデータ構造と密接な関係のある、**時間の計算アルゴリズム(計算の手順)**
を頭の中で実行しているわけです。

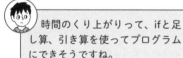

時間のくり上がりって、ifと足
し算、引き算を使ってプログラム
にできそうですね。

この文章を読んでそんな想像ができる
ようになってきたら、プログラミングの力
がついてきている証拠ですよ。

　時間と同じように、**日付**もデータ構造の1つとして考えることができます。日付
のデータ構造は、「**年・月・日**」という3つの数を使って表現されます。

　みなさん、そろそろ日付をプログラムにしてみたくなってきたころですね。コラ
ボラトリーの「**プログラム7-3**」を開きましょう。

アドレス欄に入力する文字

qrtn.jp/qrsh5y7

QRコード

どちらも、次のアドレスにアクセスできます。

URL https://colab.research.google.com/github/shibats/mpb_samples/blob/main/ch07/code_7_3.ipynb

まずは、少し未来の日付をプログラムで表現してみましょう。**年 (year)、月 (month)、日 (day)** という3つの変数を使います。

```
# 日付を変数で表現する
year = 2100   # 西暦
month = 2     # 月
day = 28      # 日
```

 4で割り切れる年は、うるう年ですよね？

 うるう年だったら、2月は29日まであるはずですね。

「次の日」を、計算で表現すると次のような計算式になります。日 (day) に1を足して代入しています。

```
# 一日後を計算
day += 1
```

そういえば、うるう年の西暦は4で割り切れるのですよね。でも、4で割り切れる西暦2100年は、本当にうるう年なのでしょうか？調べてみましょう。

ただ調べるのではつまらないので、Pythonのライブラリを使ってみましょう。第6章で使った、monthcalendarという関数を使ってみます。「プログラム7-3」の次のセルを実行してください。

```
# 2100年2月29日はあるのか？
from calendar import monthcalendar
monthcalendar(2100, 2)
```

 2100年2月のカレンダーを表示してみましょう。

```
[[1, 2, 3, 4, 5, 6, 7],
 [8, 9, 10, 11, 12, 13, 14],
 [15, 16, 17, 18, 19, 20, 21],
 [22, 23, 24, 25, 26, 27, 28]]
```

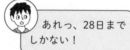

あれっ、28日までしかない！

西暦が100で割り切れても、400で割り切れない年はうるう年にはならない、というルールもあるんです。

　日付をプログラムであつかうのは、とにかく大変なのです。月によって何日まであるかが変わるうえに、うるう年のようなややこしいルールもあるからです。

　データ構造と、データ構造をプログラムであやつるために使うアルゴリズムの間には深い関係があります。この2つを、プログラムであつかいやすくするためのしくみがPythonにはあります。

　それが、**オブジェクト**と**クラス**と呼ばれるしくみです。

オブジェクトとクラスがわかれば、Pythonの基本はほぼ理解できます。

そうなんですね。がんばります！

Python学習の最後の関門ですね。

## 7-2-2 オブジェクト─データ構造の入れもの

オブジェクトは、データ構造の入れものです。

　前の節で辞書について説明しましたね。**辞書はデータ構造の入れもの**として使うことができます。データ構造を表現するために、**名前とデータをペアにして変数に代入**できるのでした。

#### 辞書は名前とデータをセットにして変数に代入できる

キー（名前）　　データ

hero = { "name" : "勇者"

"hp" : 100

"mp" : 20}

辞書には、データ構造を入れることができます。

hero["name"]

リストのように [ ]（角かっこ）を使いデータ構造の中身を取り出せます。

記号が多くて、読むのが大変ですね。

辞書は便利ですが、ちょっと使いづらいかもです。

　辞書は便利なのですが、書き方が少し複雑です。キーが文字列で、値が数というように、いろんな種類のデータが混じっていて、読みづらいのもよくありません。

　そこでPythonには、もっと読みやすい方法で、データ構造をあつかうしくみが用意されています。まずはプログラムを見てみましょう。

　標準ライブラリから、日付のデータ構造を読み込みます。「プログラム7-3」の次のセルを実行しましょう。プログラムの最後にある「date」というのは、「日付」という意味の英語です。

```
# 日付のデータ構造をインポートする
from datetime import date
```

コメントの「データ構造をインポートする」ってどういう意味ですか？

まぁ、続きを見てみましょう。

次に、日付のデータ構造を、変数に代入します。

```
# ネコ型ロボットの誕生日
dora = date(2112, 9, 3)
```

 引数になっている、3つの数の意味は分かりますか？

 左から、西暦、月、日で、「2122年9月3日」ってことですよね？

 正解です！

　これで、doraという変数に日付のデータ構造が入りました。dateという関数（のようなもの）を呼び出すと、データ構造が作られるのです。必要なデータは、引数としてプログラムに書き込みます。

　さて、データ構造を作るのに必要な数（西暦・月・日）はどこにいったのでしょうか。取り出して見てみましょう。まずは次のセルを実行して西暦を表示してみましょう。

```
# 西暦を表示する
dora.year
```

 「year」は「西暦(年)」という意味の英語ですよ。

**実行結果**

```
2112
```

2112と表示されました。引数に書いたのと同じ数ですね。

同じように、月と日も表示してみましょう。次のセルを実行します。

```
# 月, 日を表示する
dora.month, dora.day
```

doraのあとドット(.)の次に、それぞれ「month(月)」と「day(日)」という名前を続けて書く、となっているのがわかりますね。

**実行結果**

```
(9, 3)
```

 「9」と「3」という数が表示されました。引数にあった「月、日」と同じです。

　.（ドット）のあとにデータを指定していることで、**dora**という変数にはデータ

構造が入っている、ということが分かったでしょうか。ちょっと辞書に似ています。

> 変数の中にデータ構造を入れることのできるしくみを
> 「**オブジェクト**」といいます。

オブジェクト

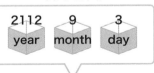

dora

変数の中に、**変数（のようなもの）を入れておける世界**を作れる、と考えてください。

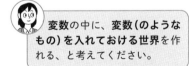

似たようなしくみを、前に見たことがあるような……？

Pythonが変数を覚えておくのに使う、**名前空間**のしくみに似ていますね。

　ここで、2100年のうるう年問題を思い出してください。この年は4で割り切れますが**うるう年ではない**のでした。2100年2月29日という日付の情報を使って、日付のデータ構造を作ってみましょう。

```
# 2100年2月29日
leapday = date(2100, 2, 29)
```

実行結果

```
----------------------------------------------------------
------
ValueError                    Traceback (most recent call last)
Input In [17], in <cell line: 2>()
      1 # 2100年2月29日
----> 2 leapday = date(2100, 2, 29)

ValueError: day is out of range for month
```

うわ、恐そうな英語が表示されました。

これは、「日付が月の範囲を超えています」というエラーの表示なんです。

2100年の2月は28日までしかありません。2100年2月29日は日付として正しくないのです。だから、「2100, 2, 29」という組み合わせで日付データを作ろうとすると、エラーになるのです。

　データ構造を作ろうとするとき、正しい日付かどうかをPythonがプログラムで判断しているのです。データ構造自体が、自分が正しいかどうかを知っていて、エラーを出すようになっているなんて、かしこいですね。

　プログラミングで**オブジェクト**という言葉が出ると、混乱する人がけっこういるんです。

　データ構造なのかオブジェクトなのか、こんがらがってきました。

　もう少しあとで、スッキリわかる答えが出てきます。もう少しがんばって先に進んでみましょう。

## 7-2-3 アトリビュート─なにか（主語）の「データ（説明）」

オブジェクトは「ことば」にすると理解しやすくなります。

　先ほど、2112年9月3日という日付を、**dora**という変数に入れました。そして、データ構造の中にあるデータを取り出すために、doraという変数から、**ドット(.)**に続けて変数（のようなもの）を書きました。

　これが、「日付のデータ」を取り出すためのルールです。

　この部分のプログラムを文章にしてみると、doraという名前が**主語**で、ドットのあとにくる名前は**述語**になっているのです。

■▶ プログラムを「ことば」にしてみる

.(ドット)は、「の」や「が」と読むといいですよ。

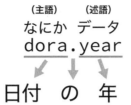
（主語）　（述語）
なにか　データ
dora.year

日付　の　年

こう読むのか！

> **オブジェクト**を主語にして、述語になる名前のことを「**アトリビュート**」といいます。アトリビュートには、データ構造のデータが入っています。

■▶ オブジェクトとアトリビュートの構造

オブジェクトには、プログラムで表現したい**ものごと**の全体が入っているんです。

アトリビュートには、**細かい説明**が入っている、というわけですね。

オブジェクト

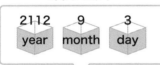
21.12　　9　　3
year　month　day

アトリビュート

↑
dora.year
日付　の　年

dora

細かい説明のことを「**属性（ぞくせい）**」と言います。「アトリビュート」は、日本語にすると「属性」になるんですよ。

　同じ種類のデータ構造を、プログラムで数多くあつかいたいとき、オブジェクトを使うと便利です。オブジェクトを変数に入れてしまえば、プログラムの上にいくつものデータ構造を、簡単に作り出すことができるからです。

　実際にやってみましょう。「プログラム7-3」の次のセルでは、変数のnobiにdoraと同じ種類のデータ構造（日付）を代入しています。

```
# めがね少年の誕生日
nobi = date(1964, 8, 7)
```

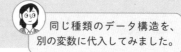

同じ種類のデータ構造を、別の変数に代入してみました。

これも日付のデータ構造ですね。

**チャレンジしよう**

　まず、先ほどの「# めがね少年の誕生日」のプログラムを動かしてください。その前提で、次の2つの問題に答えてください。

**チャレンジ①** nobi.yearには、どんな数が入っていますか？

**チャレンジ②** nobi.dayには、どんな数が入っていますか？

プログラムの**date**のあとにある引数をよく見てみましょう。

「year」は「年（西暦）」、「day」は「日」という意味の英語ですよ。

**答え**

- チャレンジ1：1964
- チャレンジ2：7

## 7-2-4 クラス──データ構造の種類につけた「名前」

● Pythonの基礎は、名前にはじまり、名前に終わる。

　**オブジェクト**という言葉の意味について、モヤモヤとしている方が多いと思います。今この本を読んでいるみなさんのために、ここでスッキリとした答えを示したいと思います。

　この本のはじめに、変数は数に名前をつけるために使う、とういうことを学びましたね。そしてみなさんは、数を集めて作るデータ構造について知っています。

　オブジェクトは、**データ構造に名前をつけるために使う**のです。まず、このことを理解してください。

　データ構造は、プログラムであつかう**ものごとを表現**するために使うのでしたね。「オブジェクトを使ってデータ構造に名前をつける」というのは、**プログラムであ**

230

**つかうものごとに名前をつける**のと同じことです。

　日付というものごとを、オブジェクトとしてあつかったときのことを思い出してください。先ほどの「# めがね少年の誕生日」のプログラムでは、まず「date」という関数(のようなもの)を呼び出して、オブジェクトを作りました。

```
nobi = date(1964, 8, 7)
```

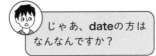

これが、日付の**オブジェクト**が入った変数です。

じゃあ、**date**の方はなんなんですか?

　日付だけでなく、データ構造にはたくさんの種類があります。たくさんあるデータ構造の種類も、分類のために名前をつけると便利そうです。日付を表現するデータ構造を分類するのに、英語を使って「date」(日付)という**名前**をつけるのです。

　　　　　データ構造の種類につけた名前のことを「**クラス**」といいます。

Pythonでは、次のように**クラス**を使って**オブジェクト**を作ります。

**■ データ構造の種類に名前をつけたものがクラス**

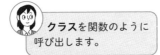

**クラス**を関数のように呼び出します。

オブジェクトには**データ構造**が入ります。日付なら、**年、月、日**という3つの数が必要ですね。

**データ構造**を作って、**オブジェクト**に変えて変数に代入します。

3つの数は、どんな日付を表現したいかによって**変わり**ますね。

**変えられる数**だから、引数にして渡すのか!

　「プログラム7-3」にある次のプログラムを見てください。みなさんならもう、説明しなくても理解できるはずです。

```
# 時間のクラス(time)をインポートする
from datetime import time
# 正午のオブジェクトを作る
noon = time(12, 0, 0)
```

　一応説明しておくと、クラス(time)を使って、「12, 0, 0」で12時0分0秒のデータ構造が入ったオブジェクトを作る、というプログラムです。
　Pythonのライブラリには、いろいろな種類のクラスが登録されています。プログラムを作るときに、よく使うデータ構造があらかじめ用意されているのです。

 column

　**Python のドット (.)**

　Pythonは、同じ記号に似たような意味を持たせるように作られています。「ドット (.)」も、似たような使われ方をする記号の仲間です。
　Pythonでは、**親子関係**を表現するためにドット (.) を使います。たとえば、オブジェクトが「親」で、アトリビュートが「子」になります。

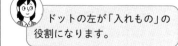
ドットの左が「入れもの」の役割になります。

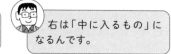
右は「中に入るもの」になるんです。

　第6章で、標準ライブラリや外部ライブラリといったライブラリについて説明しましたね。ライブラリをインポートするときにも、たびたびドット (.) が出てきたのを覚えているでしょうか。

```
from mpb_lib.sound import load, play
```

これは**パッケージ**。モジュールの**入れもの**です。

これは**モジュール**。パッケージの**中に入るもの**です。

ライブラリでも、ドット (.) は親子関係を表現するために使われているのが分かります。

同じような使われ方をする記号は他にもあります。たとえば、[ ]（角かっこ）がそうです。角かっこは、リストでも辞書でも、「中にあるもの」を指定したり、取り出したりするのに使われます。

Pythonでは、記号の使われ方に法則のようなものがあります。使う記号の種類も多くないので使っているうちに覚えていきます。だから、Pythonは覚えやすいのです。

## 7-2-5 メソッド──なに（主語）が「どうする（動作）」

○── オブジェクトは、データ構造と深い関わりがあるアルゴリズムを持っています。

オブジェクトには、「データ構造の入れもの」という役目があります。実はもう1つ、オブジェクトには大事な役割があります。

第6章で説明した、「**プログラムの基本形バージョン3**」を覚えていますか？

▶ プログラムの基本形バージョン3

データ構造がプログラムの**出発点**になるんでした。

そして、**アルゴリズム**で、データ構造を**目的の状態に変える**のでした。

出発点になるデータ構造って、**オブジェクト**でもいいんじゃないのかな？

みなさんは、「**オブジェクトはデータ構造の入れもの**」であることを知っていますね。データ構造はオブジェクトに入れます。あとは、オブジェクトの状態を変えるための**アルゴリズム**があれば、オブジェクトを使って「プログラムの基本形」を作ることができるはずです。

メソッドを使うと、オブジェクトの状態を変えることができます。コラボラトリーの「**プログラム7-4**」で確かめてみましょう。

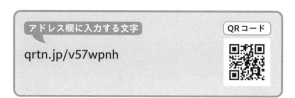

どちらも、次のアドレスにアクセスできます。

URL https://colab.research.google.com/github/shibats/mpb_samples/blob/main/ch07/code_7_4.ipynb

まず、外部ライブラリをインストールしましょう。そして、インストールしたライブラリから**クラス**をインポートします。「プログラム7-4」の最初のセルを実行しておきましょう。

```
# ライブラリをインストールする
!pip3 install mpb_lib -qU
# 「顔」のクラスを読み込む
from mpb_lib.face import Face
```

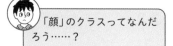

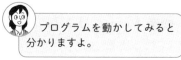

**Face**というクラス（顔のクラス）を使って、**顔のオブジェクト**を作りましょう。次のセルを実行します。

```
# 顔オブジェクトを作る
f = Face()
```

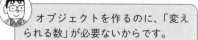

234

実行したら、「プログラム7-4」にある次のプログラムを実行してみてください。

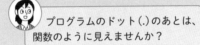

```
# 顔が表示される
f.show()
```

プログラムのドット(.)のあとは、関数のように見えませんか？

実行結果

助手さんの顔が表示されました！

**f**という変数には、**オブジェクト**が入っています。オブジェクトからドット(.)に続いて、**show()**という関数のようなものが見えます。この部分のことを**メソッド**といいます。

**オブジェクトを主語とすると、メソッドは動詞にあたる**部分です。

**オブジェクトとメソッドの関係**

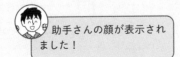

（主語）　（動詞）
**なにが どうする**
　f.show()

顔　　が　　表示される

「show」というのは「表示する」という意味の英語です。

オブジェクトには「顔」が入っていることを思い出すと、文章として読めますね。

本当だ！

> オブジェクトを主語にして、「動詞」になる部分のことを「**メソッド**」といいます。
> メソッドは、オブジェクトを操作するためのアルゴリズムです。

**f**という変数には、顔のオブジェクトが入っています。このオブジェクトは、いくつかアトリビュートを持っています。アトリビュートを見てみましょう。次の「# 口の形を確認」のセルのプログラムを実行してみましょう。

```
# 口の形を確認
f.mouth_kind
```

実行結果

```
0
```

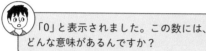

「0」と表示されました。この数には、どんな意味があるんですか？

もう少しプログラムを動かしてみるとわかりますよ。

　別のメソッドを使って、表情を変えてみましょう。「プログラム7-4」の次のセルを実行してみましょう。

```
# 顔が怒る
f.angry()
```

実行結果

怒った顔になりました。

口の形が、変わったのが分かりますか？

　さきほど表示された顔と、表情が変わりました。目やまゆの形（角度）が変わっているのと、口の形が変わっているのに気づきましたか？

　もう一度、mouth_kindというアトリビュートを表示してみましょう。コメントに「# 口の形を確認（2）」として別のセルに書いていますが、先ほどの「# 口の形を確認」と同じです。「# 顔が怒る」のプログラムを実行してから動かしてくださいね。

```
# 口の形を確認(2)
f.mouth_kind
```

236

**実行結果**

1
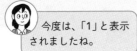
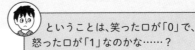

　顔のオブジェクト（変数f）が持つmouth_kindというアトリビュートと、口の形が対応しているのです。**順番の数**を使って、口の種類を表現するようになっているのです。

　顔のオブジェクトは、表情を変えるのに使えるアトリビュートを他にも持っています。たとえば、まゆの角度、目の角度のアトリビュートを持っています。怒った顔では目の形も変わっているのに気づいたと思います。口の形と同じで、これも**順番の数**としてアトリビュートに保存されています。

　では、プログラムでアトリビュートを直接変えたらどうなるでしょうか。次の「チャレンジしよう」で試してみましょう。

**チャレンジしよう**

　「プログラム7-4」の次のセルには、アトリビュートを使って、いろいろな表情の顔を表示するプログラムが書いてあります。

　アトリビュートに代入する数を変えて、いろいろな顔を表示してみましょう。文字列を使って、おしゃべりさせることもできます。ヘンな顔にはしないであげてくださいね。

```
# アトリビュートで表情を変える
f.eye_kind = 0    # 目の種類(0から2)
f.mouth_kind = 0  # 口の種類(0から2)
f.eyeblow_degree = 0    # まゆの角度
f.message = "Python"
f.show()    # 顔を表示する
```

先ほどのangry()というメソッドの中では、ここにあるアトリビュートの数を変えることで、表情を変えていたんですよ。

メソッドで「オブジェクトの状態が変わる」ということのイメージが、なんとなくわかりました。

メソッドを呼び出してデータ構造の内容が変わることを「破壊的（はかいてき）」ということがあって、「行儀が悪い」と考える人もいます。

## 7-2-6 オブジェクト指向

オブジェクト指向は、こわくない。

Pythonだけでなく、プログラムの基本は、すべて第1章の最後に出てきた次の図で語ることができます。**入力**と書いてある部分は、「プログラムの入口」にあたる部分です。**数**からはじまり、**データ構造**まで、これまで3つのバージョンがありました。

■ プログラムの基本形のおさらい

**処理**と書いてある部分は、「**アルゴリズム**」にあたる部分です。**入力**から**出力**まで、まとめて「プログラムの基本形」という名前をつけて説明してきました。こちらも、バージョンが3つありましたね。

さてみなさんは、これから説明する「**プログラムの基本形 最終バージョン**」についてすでに知っています。

データ構造をオブジェクトとして変数に代入して、いろいろなものごとを
プログラムで表現します。
メソッドを使って、オブジェクトを目的の状態に変えます。
これが、「**プログラムの基本形 最終バージョン**」です。

**▶▶ プログラムの基本形 最終バージョン**

オブジェクト1 ⟶ メソッド ⟶ オブジェクト2

　プログラムの**入口となるのはデータ構造の入ったオブジェクト**です。**メソッドを呼び出して、オブジェクトの中のデータ構造を目的の状態に変えます**。これが「基本形」ですが、基本形で答えが得られないときはどうすればいいでしょうか？

　そういうときは、**基本形をいくつも組み合わせればいい**のです。オブジェクトの状態を変えたり、別の種類のオブジェクト（別のデータ構造）に変換することをくり返しながら、答えまでたどり着くようにすればいいのです。これが、Pythonでプログラムを作るということです。

主にオブジェクトを使ってプログラムを作る手法のことを
「**オブジェクト指向**」といいます。

「オブジェクト指向」という言葉はむずかしいですね。

基本は、**データ構造**と**アルゴリズム**を使ったプログラミングなんです。

なるほど、でもまだちょっと実感できません……。

　ドット(.)を、主語とそのあとを繋ぐための「の」や「が」と置きかえる読み方を知っていれば、Pythonのオブジェクト指向はそれほどむずかしくありません。いくつか、オブジェクト指向を使ったプログラムを見てみましょう。

　コラボラトリーの「**プログラム7-5**」を開きます。

どちらも、次のアドレスにアクセスできます。

URL https://colab.research.google.com/github/shibats/mpb_samples/blob/main/ch07/code_7_5.ipynb

「プログラム7-5」の最初のセルにある、文字列を使ったプログラムの例を見てみましょう。

```
# サムライを探せ！
s = ("持持持持持持持持"
     "持持持持持持侍持持"
     "持持持持持持持持"
     "持持持持持持持持"
     "持持持持持持持持"
     "持持持持持持持持")
s.index("侍")
```

sには文字列が入っていますね。「index」は、「インデックス（を探す）」という意味の英語です。

「s.index("侍")の部分は、「文字列のインデックス（を探す）」と読めますね。

実行結果

17

何のインデックスを探すのかな？
あっ、引数を見ればいいのか！

出力セルには「17」という数が表示されます。「侍（さむらい）」を探してみましょう。第5章でループを使った同じようなプログラムを見たことがありますね。index()というメソッドの中で行われていることが、だいたい想像できるはずです。

変数の中にどんな種類のデータ（オブジェクト）が入っていて、どんな処理をしているのかが想像できれば、プログラムは読むことができるのです。

ループを使ったときとくらべると、今回の方がプログラムはスッキリしていますね。これも、オブジェクト指向を使ったプログラムの特徴です。

## column
### データの種類と「型（かた）」

　データ構造を手軽にあつかうためのしくみとして、この節ではオブジェクト指向について学んでいます。Pythonでは、「日付」や「時間」のような、データ構造の種類ごとに英語の名前がついています。クラスの名前なのでこれを「**クラス名**」といいます。クラス名を関数のように使うことで、オブジェクトを作ります。

　実は、データ構造を作るために使う「組み込み型」にも、それぞれ英語の名前がついています。この本で説明した組み込み型について、英語の名前を書き出してみましょう。

- **int**：「数（整数）」につけられた名前です。整数をあらわす「integer」という英語の略です。
- **str**：「文字列」につけられた名前です。文字列をあらわす「string」という英語の略です。
- **list**：「リスト」につけられた名前です。
- **dict**：「辞書」につけられた名前です。辞書をあらわす「dictionary」という英語の略です。

　他に、小数点を含む数をあつかうための「**float**」、条件が「成り立つ・成り立たない」という2つの状態をあつかう特別な組み込み型「**bool**」などがあります。

　ところで、数を文字列にするために「str(10)」のようなプログラムを作ったのをおぼえていますか？　これはちょうど、データの種類につけた名前を関数のように呼び出して、データを作るという書き方になっていますね。組み込み型の英語名は「クラス名」で、クラス名を使ってオブジェクトを作っているのです。

　つまり、組み込み型のデータも実はオブジェクトの仲間なのです。先ほど見たプログラムのように、文字列が代入された変数でメソッドを使えるのはそのためです。

　この本では、**数をデータの基本**として、**数を組み合わせて作るデータを「データ構造」**と分けて説明してきました。**数もデータ構造も、どちらもデータの仲間**です。いろんな種類のデータのことをまとめて「**型（かた）**」と呼ぶことがあります。「組み込み型」の最後についている「型」も、ここからきています。**クラス名も型の一種**といえます。整数型 (int) や文字列型 (str)、日付型 (date)、時刻型 (time) のように、**データの種類ごとに「型」が分かれている**のです。そして、**それぞれの「型」に名前がついている**のです。

## 7-2-7 組み込み型のメソッド

組み込み型のメソッドをマスターすれば、Pythonの基礎はカンペキです。

**数や文字列、リストのようなデータを、Pythonでは**組み込み型というのでした。これまで、組み込み型をプログラムであつかう方法を、いくつか見てきました。

足し算のような計算を使うと、数を足したり、リストや文字列を連結したりできました。[ ]にインデックスやキーを入れると、要素を取り出すことができました。スライスは、リストの中にあるたくさんの要素をまとめてあつかえて便利でした。

**Pythonの**組み込み型では、計算や記号を使えるだけでなく、メソッドを使うことができます。メソッドを使うと、計算や記号を使ったプログラミングよりたくさんのことができるようになります。

先ほど、文字列の**index**というメソッドを使ったプログラムを動かしましたね。組み込み型とメソッドを組み合わせたプログラムの例です。

文字列(主語) 文字列(引数)

s.index("侍")

戻り値(数)

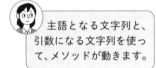

主語となる文字列と、引数になる文字列を使って、メソッドが動きます。

indexは、主語の文字列から、引数の文字列を探して順番(インデックス)を返す、というメソッドでした。

文字列では、他にもいくつか、使えるメソッドがあります。文字列を使って文章を作るプログラムを考えてみましょう。これまでは、「プログラム7-5」の次のセルのように、足し算を使って文字列を連結していました。

```
# 足し算を使って文字列を作る(参考)
m = "東京都"  # 変えたい部分その1
m = m + "の降水確率は"
m = m + "20"    # 変えたい部分その2
m = m + "%です。"
m
```

「手順」としてはシンプルですが、変えたい部分が散らばっていますね。

そうですね、ちょっと読みづらいです。

242

'東京都の降水確率は20%です。'

　次に、組み込み型のメソッドをうまく使って，同じことをするプログラムを作ってみましょう。同じ手順を、より短くスッキリと書けることが分かります。
　**文字列の一部を置きかえるメソッド (replace)** を使ってみましょう。次のセルのプログラムを見てください。

```
# 「置きかえ」で文字列を作る
m = "{場所}の降水確率は{数}%です。"
# {場所}と{数}を置きかえる
m = m.replace("{場所}", "東京都")
m = m.replace("{数}", "20")
m
```

ずいぶんスッキリしました！

'東京都の降水確率は20%です。'

元になる文字列が、プログラムの先頭に置いてあって見やすいですよね。

文字列の一部を変える部分が、下の方にまとまっているのもいいですね。

　文字列のreplaceメソッドは、元になる文字列のうち、指定の部分を置き換えます。置き換えた結果は、新しい文字列になって、戻り値として返ってきます。
　文字列やリストでは、「−」を使った引き算ができませんでしたね。replaceメソッドをうまく使うと、「文字列からある文字列を取り除く」というプログラムを、簡単に書けます。次のプログラムを動かしてみましょう。

```
# replace()を使った文字列の「引き算」
s = "たメソたッドはたべたんりただ"
# 「た」を取り除く (たぬき暗号)
s = s.replace("た"、"")
s
```

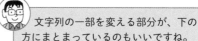

文字列から「た」を何もない状態に置きかえていますよ。

'メソッドはべんりだ'

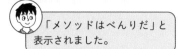

「メソッドはべんりだ」と表示されました。

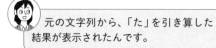

元の文字列から、「た」を引き算した結果が表示されたんです。

　indexやreplaceの他にも、文字列で使えるメソッドはいくつかあります。プログラムを作るとき、よく使う処理がメソッドになっているのです。

　文字列は、データ構造に似た形をしています。リストや辞書なども同じですね。このような種類のデータをあつかうプログラムでは、メソッドがよく使われます。メソッドをうまく活用すると、スッキリとしたプログラムを作ることができるからです。

## 7-2-8 オブジェクトと計算

○─ オブジェクトを使えば、計算や比較も簡単にできるようになります。

　Pythonの変数には、いろいろなデータを入れることができます。数だけでなく、リストや文字列が入ることがあります。オブジェクトを使って、複雑なデータ構造を変数の中に入れることもできます。

　変数にどんな種類のデータが入っているかによって、プログラムの中でできることが変化します。たとえば、データの種類によって、使えるメソッドは変化します。データ構造とアルゴリズムには密接な関係があるのです。

**データの種類によって使えるメソッドは変わる**

```
index        index        get         show()
replace      insert       items       smile()
join         expand       keys        angry()
split        remove       update
(などなど)    (などなど)    (などなど)
```

データの種類によって、持っている(使える)メソッドが変わるんです。

　文字列　　　リスト　　　辞書　　　Face

いちいち覚えるの、めんどうそうです……。

変数にどんな種類のデータが入っているかを考えながらプログラムを読むようにすると、そのうち覚えられますよ。

244

Pythonのプログラムでオブジェクトをあつかうとき、必ずメソッドを使わなければならないかというとそうでもありません。オブジェクトの種類によっては、数と同じようにあつかえるものがあるのです。

「プログラム7-5」の次のプログラムを動かして、ちょっと試してみましょう。

```
# 日付のクラスをインポート
from datetime import date
# ネコ型ロボットの誕生日
dora = date(2112, 9, 3)
# めがね少年の誕生日
nobi = date(1964, 8, 7)
```

 dora、nobiという2つのオブジェクトを作ってみました。

 どちらも、日付のオブジェクトですね。

doraとnobiの2つのオブジェクトを作ったら、この2つを使って**引き算**ができます。次のセルを実行してみましょう。

```
# 日付の引き算
dora - nobi
```

実行結果

```
datetime.timedelta(days=54083)
```

 出力セルに表示されたのは、引き算の答えでいいのかな……？

 2つの日付の「差」が表示されているんです。よく読むと、日数が書いてありますね。

出力セルに「datetime.timedelta」と書いてあるのは、Pythonで「日付の差」を表現するために使われる、特別な種類のオブジェクトなのです。ちょっとむずかしいので、「そういうものなんだ」と思って読み進めてください。かっこの中をよく見ると、「days（日）＝54083」と書いてあります。2つの日付の差が「5万4千83日」であることが分かります。つまり、出力セルには、日付の計算結果が表示されていることが分かります。

計算したのと同じように、2つの日付オブジェクトを比較することもできます。余裕のある人は、次のプログラムを実行する前に、まずよく読んでみてください。出力セルにどんな文字が表示されるか、考えてから動かしてみてください。

```
# 日付を比較する
if dora > nobi:
    print("doraはnobiより未来に生まれた")
else:
    print("doraはnobiより過去に生まれた")
```

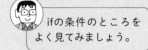

ifの条件のところを
よく見てみましょう。

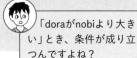

「doraがnobiより大き
い」とき、条件が成り立
つんですよね？

doraはnobiより未来に生まれた

doraもnobiも日付でしたね。日付を数に見立てて線の上に並べてみると、比較の結果がよく分かります。

■● 日付の比較

1964年8月7日
**nobi**

2112年9月3日
**dora**

過去　　　　　　　　　　　　未来

nobi（1964年8月7日）よりdora（2112年9月3日）の方が未来にあります。条件が成り立つので、出力セルには「doraはnobiより未来に生まれた」と表示されます。

Pythonのプログラムは、オブジェクトを部品のように使って組み上げて作っていきます。プログラムで使われるデータ構造にはいろいろな種類があります。ですから、オブジェクトにもとてもたくさんの種類があります。

オブジェクトの中には、数と同じように計算したり、比較をしたりできるオブジェクトがあるのです。日付オブジェクトをみると、そのことがよく分かりますね。

オブジェクトは、ときには数のようにあつかったり、メソッドを使ったりします。そのようにしてオブジェクトを変化させながら、Pythonのプログラムは進んでいくのです。

オブジェクト指向を活用しよう

Pythonでデータ構造を自由にあやつろう。

この章のまとめとして、**データ構造**を使ったPythonのプログラムを作ってみましょう。7-1節の辞書の説明のところにあった、地震の情報を文字列にするプログラムを思い出してください。このプログラムを、**オブジェクト指向**を使って書き換えてみます。

コラボラトリーの「**プログラム7-6**」を開きます。

どちらも、次のアドレスにアクセスできます。

URL https://colab.research.google.com/github/shibats/mpb_samples/blob/main/ch07/code_7_6.ipynb

「プログラム7-6」を開いたら、まずは地震の情報を取り込む関数を読み込みます。以前使った関数よりくわしい情報を得られる関数を使います。

```
# 地震の情報を得るための関数を読み込む
!pip -q install mpb_lib -U
from mpb_lib.apis import get_eq_info2
```

 get_eq_info2という関数をインポートしていますね。

 辞書の解説で使ったのとは、少しちがう関数を使います。

**get_eq_info2**という関数を呼び出すと、戻り値に辞書が返ってきます。この辞書には、最近発生した地震の情報が入っています。関数を呼び出して辞書を得て、表示して中身を確認してみましょう。

```
# 地震の情報を辞書として得る
d = get_eq_info2()
d    # 辞書の内容を確認
```

実行結果

```
{'depth': 50,
 'latitude': 36.1,
 'longitude': 139.9,
 'magnitude': 3.7,
 'name': '茨城県南部',
 'datetime': datetime.datetime(2023, 7, 27, 14, 7, 13)}
```

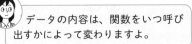
データの内容は、関数をいつ呼び
出すかによって変わりますよ。

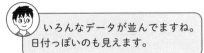
いろんなデータが並んでますね。
日付っぽいのも見えます。

　この辞書から、一部だけを取り出してみましょう。次のセルを実行して、地名を取り出してみます。

```
# 地名だけを取り出す
p = d["name"]
p    # 地名を確認
```

実行結果

```
'茨城県南部'
```

　変数pに辞書の一部の地名だけを取り出せましたね。それでは、文字列とメソッドを組み合わせて、地名を文章の中に埋め込んでみましょう。次のセルを実行してください。

```
# ?を地名で置き換える(置換)
m = "?で地震がありました。"
m = m.replace("?", p)
m    # 結果を表示
```

'茨城県南部で地震がありました。'

 「?」の部分が、地名に置きかわりました！

 replaceメソッドの使い方は、前にも説明しましたね。

このようにオブジェクトを自由にあつかえるようになると、Pythonでさまざまなデータ構造をあつかうプログラムが作れるようになります。

最後にオブジェクト指向の話題とはずれますが、文字列を作るのに、メソッドより便利な機能を紹介しておきます。**文字列の引用符(")の前に「f」をつけると、変数をそのまま文字列に埋め込む**ことができるのです。**f文字列**という機能です。

```
# f文字列を使う
p = d["name"]
m = f"{p}で地震がありました。"
m # 結果を表示
```

まず、置きかえたい文字列を、変数に入れます。

文字列の**{ }**で囲まれた部分が、変数の内容に置き換わるんです。

'茨城県南部で地震がありました。'

 これは簡単だ！

**f文字列**は、慣れるととても簡単で便利です。もう少し使ってみましょう。

```
#  日付を埋め込む
dt = d["datetime"]   #  発生日
m = f"{dt.month}月{dt.day}日{dt.hour}時ごろ"

m  # 結果を確認
```

 ドット(.)を使って、アトリビュートを
指定して埋め込みます。

実行結果

'7月27日14時ごろ'

 オブジェクトのアトリビュートを、
f文字列に埋め込めるんです。

 こんな風にすると、日付を含んだ
文字列を簡単に作れますね。


### チャレンジしよう

余裕のある人は、次のことにチャレンジしてみてください。

**チャレンジ①** 「プログラム7-5」の「# 地名だけを取り出す」と「# f文字列を使う」を、
1つのセルにまとめてみてください

**チャレンジ②** 文字列に情報を追加してみてください

　ヒントは、震源の深さ(depth)や、時(dt.hour)、分(dt.minute)などを追加して
みることです。

# PythonでAIを
# 活用しよう

この本もいよいよ最後の章になりました。プログラミングの基本に立ち返りながら、PythonでAIについて学んでいきましょう。
この章では、次のようなことを学びます。

▷ 現代のAIはどのように動くのか
▷ PythonでAIを活用するためのヒント

# 8-1 AIをプログラムの部品として使おう

💻 この節の目的

Pythonのプログラムで、AIの機能を「部品」として使うヒントを学びます。

🔍 この節で分かること

✓ 人間のようにふるまうプログラムのしくみ

✓ AIの機能をプログラムの部品として使う方法

## 8-1-1 入力、処理、出力

 どんなに長くてもプログラムの基本は同じ。

　最後に、あらためてプログラミングの基本に立ち戻りましょう。何回も出てきていますが、第1章の最後に見た次の図をもう一度見てください。この図はプログラミングを理解する上でとても重要な図です。

🔌 プログラムが動く基本的なしくみ

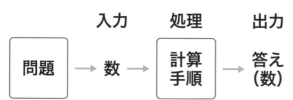

本書の最初で紹介したように、**「入力」**と**「出力」は数**でした。**「処理」は計算**でしたね。数を計算すると答えが出てくるというのが、最初に学んだPythonのプログラムでした。この図は、学校で習う**算数の計算問題と同じ形**をしています。

そしてこの図は、**プログラムの基本形**と呼んで説明してきたものと同じ形をしています。ここまで、最終形をバージョン4として、4つのバージョンをたどりながら、Pythonとプログラミングへの理解を深める旅をしてきました。

📡 **プログラムの基本形の変遷**

| バージョン | 入力 →| 処理 →| 出力 |
|---|---|---|---|
| 1 | 数1 | 計算手順 | 数2 |
| 2 | 状態1 | 関数やルール | 状態2 |
| 3 | データ構造1 | アルゴリズム | データ構造2 |
| 4 | オブジェクト1 | メソッド | オブジェクト2 |

 最後のバージョン4でも、形はまったく同じですね。

だから、みなさんも「なるほど」と思えるはずですよ。

長いプログラムは、この**基本形**をいくつも組み合わせて作ります。そして、長いプログラムにもたいてい、この図のように出発点としての「入力」と、ゴールとしての「出力」があります。

> プログラムの中で、**入力となるもの、出力となるもの**を見つけられると、
> プログラムの全体像を理解しやすくなります。

このことをいつも意識して、プログラムを読み、書くようにしましょう。たくさんのプログラムを読み、書くことで、プログラミングが身についていきます。

この章では、応用としてPythonが得意とするAIのプログラムについて見ていきます。かなりむずかしいプログラムになりますが基本は同じです。「**プログラムの基本形**」を意識して、プログラムを読んでみてください。

## 8-1-2 人間のように「ふるまう」プログラム

> 基本は「なんでも数にする」。

第3章の最後で、○×ゲームの対戦プログラムを作ってみました。順番の数と変数の名前をうまく使って、ゲームの進行を**数で表現**しましたね。そして、「勝ち筋」を選ぶ条件を、ifを使ってプログラムにしたのでした。

ここでは、迷路を解くプログラムを見ていきましょう。迷路のスタート地点からゴールまでたどる道順のうち、最も短い道順(最短経路)を探し出すプログラムです。とてもむずかしく感じるかもしれませんが、いつもの通り、動かしながら何度も読んで、挑戦してみましょう。

**▶︎ 迷路を解くゲームのイメージ**

なんでも数にすることが、プログラミングの基本です。人間が考えていることを、コンピュータに伝わる言葉に翻訳するには、迷路を数に変える必要があります。

でも、どうすればこんなに複雑な迷路を数にできるのでしょうか。鍵となるのは**順番の数**です。

コラボラトリーの「**プログラム8-1**」を開きましょう。

アドレス欄に入力する文字

qrtn.jp/x8w9zgb

QRコード

どちらも、次のアドレスにアクセスできます。

URL https://colab.research.google.com/github/shibats/mpb_samples/blob/main/ch08/code_8_1.ipynb

「プログラム8-1」の最初のセルを見てください。0と1がリストになっています。1が迷路の「かべ」で、0が迷路の「道」になります。さっきの迷路の図とよく見比べてみると、リストの数と同じになっていることが分かるはずです。

```python
# リストのリストで迷路を表現する
maze = [
 [1, 1, 1, 1, 1, 1, 1, 1, 1, 1],
 [0, 0, 1, 0, 0, 0, 1, 0, 1, 1],
 [1, 0, 1, 0, 1, 0, 0, 0, 0, 1],
 [1, 0, 0, 0, 1, 1, 1, 0, 1, 1],
 [1, 0, 1, 0, 1, 0, 0, 0, 1, 1],
 [1, 0, 1, 0, 1, 0, 1, 0, 1, 1],
 [1, 0, 1, 0, 1, 0, 1, 0, 1, 1],
 [1, 0, 1, 0, 1, 1, 1, 0, 1, 1],
 [1, 0, 1, 0, 0, 0, 0, 0, 0, 0],
 [1, 1, 1, 1, 1, 1, 1, 1, 1, 1]]
```

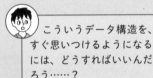
こういうデータ構造を、すぐ思いつけるようになるには、どうすればいいんだろう……?

「いろんなプログラムを読んでみる」というのは、1つの方法ですね。

迷路は、10×10のマスでできています。10個のマスがある1列を、10個の数を集めたリストで表現します。そのリストを、行ごとに10個、リストに入れるのです。これが、**入力になるデータ構造(オブジェクト)**です。

**maze**(迷路)という変数には、迷路のデータ構造が入っています。次のようにすると、「たて(x)」「よこ(y)」の位置が、「道」なのか、「かべ」なのかを知ることができますね。

```
# 迷路のある場所がかべかどうか調べる
x = 0   # よこの位置 (左端が0)
y = 1   # たての位置 (上端が0)
maze[y][x]  # 0が道、1がかべ
```

最後の行で、「[y][x]」のように角かっこが2つ並んでるのはなんでかな？

最後の行のmazeのすぐ後ろの角かっこ ([y]) が、「たてに並んだリスト」を選び出しています。次の角かっこ ([x]) が、「よこのリスト」の中の数を選んでいるんですよ。

**実行結果**

0

このような「リストのリスト」は、迷路のような2次元のデータ構造によく応用されます。

　xが左端の0、yが上から2つ目の1なので、出力セルには迷路のスタートになる0 (道) の場所が出力されています。データ構造は、人間にとっては読みづらいですね。そこで、後々のために、データ構造を分かりやすく表示する関数を用意しました。次のセルを実行してインポートしましょう。

```
# 迷路を表示する関数を読み込む
!pip install mpb_lib -qU
from mpb_lib.maze import show_maze, show_route
```

　インポートできたら、ついでにshow_maze関数を試しておきましょう。

```
# 迷路を表示する
show_maze(maze)
```

**実行結果**

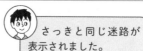

さっきと同じ迷路が表示されました。

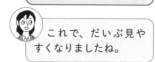

これで、だいぶ見やすくなりましたね。

　これで、データ構造とそれを分かりやすく表示する準備ができました。次はアルゴリズムの出番です。

　迷路を解くアルゴリズムには、いくつかの種類があります。たとえば「右手法」などが有名です。迷路のかべに、ずっと右手を付けた状態で進むことで出口を目指す、というアルゴリズムです。今回は、次の図のようなアルゴリズムを使います。

### ▶ 迷路を進む方法（アルゴリズム）

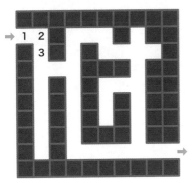

1. 入口から，順番の数を
　ふっていきます
2. 道に沿って，数を増や
　していきます

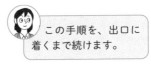

この手順を、出口に着くまで続けます。

　この方法で、本当に迷路の最短経路を見つけることができるのでしょうか？　プログラムを動かすと確かめることができます。

　ここからのプログラムについては、どう動いているのかだけを説明します。くわしい内容については解説していません。今この本を読んでいるみなさんには、少しむずかしすぎるところもあるからです。ただ、プログラムの目的と、プログラム内のコメントを読み、動かして確認していくようにすれば、プログラムを読めるようになっていくと思います。

　それに、むずかしいと感じるプログラムを**無理に読む必要は、まったくありません**。最初から内容を理解できなくても、とにかくプログラムを動かしながら、結果に納得できればOKです。

　迷路の最短経路を調べるのには、いくつかの手順を踏んでいきます。「プログラム8-1」のセルのプログラムを順に動かしながら、見ていきましょう。

### ◆ 上下左右を調べる関数を作る

　「プログラム8-1」の「# 上下左右を調べる関数」と書いてあるセルを、1回実行してください。

　このセルでは、findという関数を定義します。この関数では、mazeという変数に

入った迷路のx、yにある場所の周りを調べます。そして、進める道を探し出します。

```
# 上下左右を調べる関数
def find(x, y, maze, depth):
    # mazeのx,yの位置で上下左右が壁か道かを調べる関数

    result_list = []    # 戻り値のリストを空のリストで初期化
    # 上下左右を調べるため, リストのリストを使ってループ
    for txy in [[0, -1], [0, 1], [-1, 0], [1, 0]]:
        # 調べる位置
        tx = x + txy[0]
        ty = y + txy[1]
        if tx >= 0 and tx <= 9 and ty >= 0 and ty <= 9:
            # 調べたい位置が迷路の範囲内だった
            p = maze[ty][tx]
            if p == 0 or p > depth:
                # 通っていない道だった場合, リストに追加
                result_list += [[tx, ty]]

    return result_list
```

forのinのあとに、上下左右に対応するリストのリストがそえてあるのが分かりますか？　4方向を調べるので、最大4つの「道の候補」が見つかることになります。見つかった候補は、戻り値としてリストで返ってきます。

　この関数をぜんぶ読んで内容を理解するのは、本書を読んでいるみなさんにはまだむずかしいと思います。でも、関数を使ってどんな動きをするのかをたしかめることは簡単にできるはずです。定義した関数を使ってみましょう。入口から右に折れて3方向に分かれる部分、x、yにすると1、3の地点の上下左右を調べてみます。

```
# 関数を使って道を調べてみる
find(1, 3, maze, 1)
```

 引数の最後にある数については、
あとで説明しますね。

実行結果

```
[[1, 2], [1, 4], [2, 3]]
```

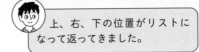

上、右、下の位置がリストに
なって返ってきました。

この関数を使えば、迷路を進む道がどこにあるのか、簡単に調べられそうだ、と
いうことが分かりましたね。

### ◈ 迷路の探索に使う変数を初期化

「プログラム8-1」の次の「# 迷路の探索に使う変数を初期化」のセルは、プログラ
ムを動かすのに必要な変数を初期化します。このセルも1回だけ実行してください。

```
# 迷路の探索に使う変数を初期化
stack = []     # 探索の対象となる座標を保存するリストを初期化
route = []     # 答え(最短経路)を保存するリストを初期化
x = 0   # 現在位置(x)
y = 1   # 現在位置(y)
depth = 2   # 探索の深さ(スタートからの距離)


# 迷路を初期化
maze = [
        [1, 1, 1, 1, 1, 1, 1, 1, 1, 1],
        [0, 0, 1, 0, 0, 0, 1, 0, 1, 1],
        [1, 0, 1, 0, 1, 0, 0, 0, 0, 1],
        [1, 0, 0, 0, 1, 1, 1, 0, 1, 1],
        [1, 0, 1, 0, 1, 0, 0, 0, 1, 1],
        [1, 0, 1, 0, 1, 0, 1, 0, 1, 1],
        [1, 0, 1, 0, 1, 0, 1, 0, 1, 1],
        [1, 0, 1, 0, 1, 1, 1, 0, 1, 1],
        [1, 0, 1, 0, 0, 0, 0, 0, 0, 0],
        [1, 1, 1, 1, 1, 1, 1, 1, 1, 1]]
```

プログラムのはじめの方には、よくこのような「代入だけを行う」部分が置かれます。コメントを読むと、現在位置座標を保存する変数や、スタート地点からの距離を保存する変数などを、スタート地点の位置にしているのが分かります。

最短経路の探索中は、いくつかリストを使います。stackは、find関数で道を調べて枝分かれが起きたとき、まだ探していない経路の候補を保存しておくためのリストです。routeは、スタート位置からの道順を保存するためのリストです。

mazeは、迷路の地図になるリスト（のリスト）です。このリストには、経路探索中に通った場所の情報も記録していくことになります。どんな風に記録していくかは、プログラムを動かしてみるととてもよく分かるはずです。

## ◇ 探索用アルゴリズム（1ターン）

この「探索用アルゴリズム（1ターン）」のセルを何度かくり返し実行することで、迷路を解いてゆきます。

セルを1回実行すると、迷路の探索を1回進めて、1つ道を進んだ状態を出力セルに表示します。show_maze関数で表示するので迷路が図で表示されます。そして、Pythonが見つけた経路は、○の中に数字で表示されます。20を超えると、かっこつきで「(1)、(2)、(3)」と増えていきます。

「ゴールが見つかりました」と表示されるまで、何度もセルを実行してみてください。

```
# 探索用アルゴリズム(1ターン)
# 結果を確認しながら，何度か実行してみてください


maze[y][x] = depth  # 迷路のリストに，探索深さを記録
route.append([x, y])  # 最短経路のリストに位置を記録
the_way = find(x, y, maze, depth)  # 今の位置から移動可能な場所
を探す


if len(the_way) >= 1:
    # 移動可能な場所があった
    # 2番目以降をスタックに保存しておく
    for x_y in the_way[1:]:
        # 次の場所のx，次の場所のy，routeの長さの順に記録
```

```
            stack.append([x_y[0], x_y[1], len(route)])
        # 0番目の場所に移動する
        x = the_way[0][0]
        y = the_way[0][1]
        depth += 1 # 探索深さを+1
    else:
        # 移動可能な場所がなかった
        # スタックに記録があれば，そこに戻って探索を続ける
        if len(stack) > 0:
            # stackの最後の位置から，座標と探索深さを復元
            item = stack.pop() # stackの一番最後の要素を
                               # 取り出してから削除
            x = item[0]
            y = item[1]
            route = route[:item[2]]   # ルートを巻き戻す
            depth = item[2] + 2   # 探索深さを巻き戻す
        else:
            print("【ゴールが見つかりました】")

    show_maze(maze) # 現在の経過を表示
```

　このプログラムは、前のセルで初期化した4つのデータ構造を使いながら動きます。データ構造の種類が増えると、とたんにプログラムのむずかしさが増すことがよく分かると思います。変数でいうと、一番大事なのは**route**という変数です。なぜなら**出力**になる変数だからです。次に大事なのはmaze、次はx、yという変数です。いちばん理解がむずかしいのはstackですが、変数のあつかわれ方などをムリに読み解こうとする必要はありません。まずは、動かしてみてください。

　プログラムを動かすと、一歩ずつ進みながら、出口を見つける様子が表示されてゆきます。その様子を見ると、プログラムの中で変数の状態がどのように動いていくのか、イメージできると思います。それが、プログラムを理解するための第一歩になります。

　セルを何回か動かすたび、次のような出力が表示されます。多少飛び飛びですが、だいたい次のように進んできます。実際には、一歩ずつ経路を探して行くので、何

回も実行することになります。【ゴールが見つかりました】と表示されるまで実行
してください。

▶ 実行結果の出力セルの流れ

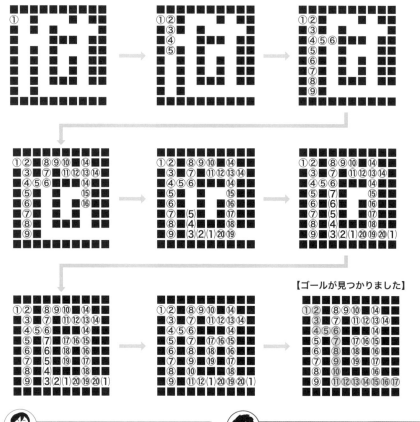

【ゴールが見つかりました】

スタート地点から移動できる場所を
探りながら、すべての道を探し出してい
く様子が分かりますよ。

最初は遠回りの道をたどって、その
道を上書きして、最も短い経路を見つ
けるんですね。かしこい！

　ここまでで、**入力**、**アルゴリズム**が終わったので、残りは**出力**です。「プログラ
ム8-1」の次の「# 結果を表示する」セルを実行してみましょう。
　出力は、**route**（ルート、道順）という変数に入っています。表示して確認して
みましょう。出力セルの結果は、コラボラトリーの表示ではたて長に表示されるの
ですが、見やすいようにリストを横向きに並び替えてみました。

```
# 結果を表示する
route
```

実行結果

```
[[0, 1], [1, 1], [1, 2], [1, 3], [2, 3], [3, 3],
 [3, 4], [3, 5], [3, 6], [3, 7], [3, 8], [4, 8],
 [5, 8], [6, 8], [7, 8], [8, 8], [9, 8]]
```

 2つの数が入ったリストが、たくさん並んでいるのかな……？

 2つの数でなにを表現しているのか、考えてみてください。

　出力セルの最初にある「[0, 1]」となっているのは、「よこ0、たて1の位置」ということを表現しています。最初なのでスタート地点ですね。次が、よこの位置が1増えて「[1, 1]」なので、右に移動しているのが分かります。次はたてが1増えて下、次も下、というように、ゴールの「[9, 8]」までの道順を**座標で示している**のです。

　これが、**出力のデータ構造**です。このデータ構造を、迷路上に最短経路として表示してみましょう。show_route関数を使います。

```
# 迷路上に最短経路を表示する
show_route(maze, route)
```

実行結果

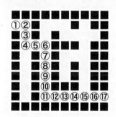

### ◆ 「入力、処理、出力」の基本に向き合う

　ここで、プログラムを学ぶ上で、私がとても大事だと思っていることを書きます。
　むずかしく見えるプログラムでも、次の3つのことが分かれば**向き合う**ことができます。

- 入力となるデータ構造のだいたいの意味
- アルゴリズムのだいたいの目的やしくみ
- 出力となるデータ構造のだいたいの意味

　プログラムに向き合うことができれば、動かして結果を試すことができます。入力をちょっと変えてみて、出力がどのように変わるかを試すことができます。

　むずかしく見えるプログラムでも、そうやって書き換えて動かしながら、だんだんと使いこなすことができるようになるのです。「あぁ、こんな感じか」と思えるようになって、「恐くなくなる」のです。

　今、みなさんは「人間のようにふるまうプログラム」を動かしてみました。それも結局、「入力、処理、出力」という、決まったしくみで動いているにすぎません。たかだか、そんなものなのです。

　人間にデータ構造の迷路を見せます。そして、出力となるデータ構造のルールを教えます。そうすればきっと、Pythonが解いたのと同じ「リストのリスト」を出力してくるにちがいありません。人間とプログラムでは、ちがう解き方をするかもしれません。でも、「**入力を処理して、出力を出す**」という意味では、同じしくみで動いているものと考えることができます。

> 人間のあつかう情報を数（データ構造）に変えます。これを「**入力**」とします。
> 人間が作り出す結果も数（データ構造）にします。これを「**出力**」とします。
> 入力を処理して、人間の出力とほとんど同じようなものを得ることができる
> 「**アルゴリズム（処理）**」があるとします。
> この組み合わせを、**人工知能（AI）**と呼んでいます。

えっ、AIって、人間のように考えるプログラムのことを言うんじゃないんですか？

中には、そういうことを研究するAIの分野もありますよ。

10年くらい前から、計算をうまく使って、人間と同じようなことをさせる手法がとても発達したんです。今のAIの主流になっています。

Pythonで簡単に試せるので、プログラムを見てみましょう。

えっ、すごい！楽しみです！

## 8-1-3 音声合成のプログラムを動かそう
AIのプログラムは恐くない。

第6章で、インストールして使えるPythonの外部ライブラリについて説明しました。インターネットを検索すると、とても便利な機能を持った外部ライブラリを見つけることができます。中には、AIの機能をPythonから簡単に使えるライブラリもあります。

Pythonの学習の仕上げとして、音声合成でおしゃべりをさせるライブラリを使ってみましょう。

まず、いつもの通り、コラボラトリーのプログラムを開いてみてみましょう。開くのは「**プログラム8-2**」です。

アドレス欄に入力する文字

qrtn.jp/55uvmdv

QRコード

どちらも、次のアドレスにアクセスできます。

URL https://colab.research.google.com/github/shibats/mpb_samples/blob/main/ch08/code_8_2.ipynb

まずは、ライブラリをインストールします。AIを使って**音声合成をするライブラリ**です。「プログラム8-2」の次のセルを実行しましょう。「**!pip**」は外部ライブラリを読み込む命令でしたね。

265

```
# 音声合成ライブラリ(gtts)をインストールする
!pip install -Uq gtts
```

その次の「# 音声合成クラス(gTTS)をインポートする」セルでは、ライブラリか
ら音声合成ができる**クラス**をインポートします。

```
# 音声合成クラス(gTTS)をインポートする
from gtts import gTTS
from IPython.display import Audio
```

 「gTTS」というのが、音声
合成を実行するためのクラス
です。

その下でインポートしている「Audio」
というのは、音を再生するための関数です。

準備ができたら、音声合成のクラス(gTTS)を使ってみましょう。とても簡単で
す。次のセルを実行してみましょう。

```
# 音声合成をする
m = "こんにちは"
tts = gTTS(m, lang = "ja")
```

 ttsという変数には**オブジェクト**
が入るんでしたっけ?

そうです。このオブジェクトを
使って、音声合成をします。

ttsというオブジェクトのメソッド(save)を呼び出して、合成した音声を保存し
ます。保存した音声を再生するボタンを表示するまで、1つのセルで実行してみま
しょう。次のセルでは、「hello.mp3」というファイルに保存して、そのファイルを
Audio関数で再生します。

```
# 音声を保存して再生ボタンを表示
tts.save("hello.mp3")
Audio("hello.mp3")
```

実行結果

▶ 0:01/0:01 ━━━━ ◀)) ⋮

出力セルに、再生ボタンが表示されるので、押してみましょう。

Pythonが「こんにちは」ってしゃべりました！

mという変数に代入されていた文字列が、音声になったんですよ。

「こんにちは」という文字列を代入するところから、再生ボタンを表示する部分までを、1つのセルにまとめてみましょう。「プログラム8-2」の「# ひとつにまとめる」のセルです。実行すると、先ほどと同じように再生ボタンが表示されて、「こんにちは」と音声が聞こえます。

```
# ひとつにまとめる
m = "こんにちは"
tts = gTTS(m, lang = "ja")
tts.save("hello.mp3")
Audio("hello.mp3")
```

これだけで音声合成ができるなんて、すごくないですか？

オブジェクト指向の力ですね。

　このプログラムを見ていると、**変えたい部分**が思い浮かびませんか？
　最初に音声を合成する、mという変数に代入されている文字列を変えたくなってきたと思います。この変数に入っている文字列を変えれば、Pythonにいろいろな文章をしゃべらせることができるはずです。
　第7章の辞書の説明で地震の情報をあつかいました。地震の情報を文字列で見やすく表示しましたね。それを、読み上げるプログラムを考えてみましょう。
　まず、地震の情報を読み込む関数をインポートしましょう。「プログラム8-2」の次のセルを実行しておきます。

```
# 地震の情報を得るための関数を読み込む
!pip install mpb_lib-qU
from mpb_lib.apis import get_eq_info2
```

次に、辞書から文字列を作ります。第7章の最後に紹介したf文字列を使います。

```
# 地震の情報から文字列を作る
# 地震の情報を得る
d = get_eq_info2()
# f文字列を使う
p = d["name"]
m = f"{p}で地震がありました。"
```

地震の情報の辞書から「name」の文字列を取り出して、変数のpに代入していますよ。

　Pythonにしゃべらせる地震の情報を、文字列として作りました。いよいよ、音声合成をします。

```
# 地震の情報をしゃべらせる
tts = gTTS(m, lang = "ja")
tts.save("hello.mp3")
Audio("hello.mp3")
```

▶ 0:00/0:03 ━━━━ 🔊 ⋮

再生ボタンを押したら、Pythonが地震の情報をしゃべった！

文字列を作るセルと、しゃべらせるセルを1つにまとめると便利ですよ。

文字列に、他の情報を追加してもいいですね。

がんばってやってみます！

　Pythonを使って、少し実用的なプログラムを作ってみました。音声合成のようなAIの機能を使ったプログラムというとむずかしそうですね。でも、ライブラリを活用すると、とても簡単にプログラムにできてしまうのです。
　メソッドを呼び出す前には、クラスを使って音声合成オブジェクトを作ります。gTTSクラスでは、オブジェクトを作るとき、文字列を渡すだけでGoogleのサーバーに必要な情報が送られて、音声データが返ってくるようになっているのです。こういうしくみをAPIと言うのでしたね。

　メソッドを呼び出す前の、音声合成オブジェクトに渡す文字列を作る部分があります。ここは、いってみれば**準備をするためのプログラム**です。

■▶ 地震の情報をしゃべらせるプログラムの流れ

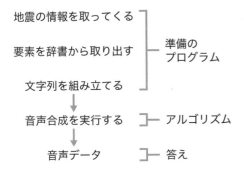

　準備のプログラムでは、音声合成に渡すための、**入力**となるデータを作っているわけです。長めのプログラムも、このように「入力、処理、出力」に当てはめてみると、読みやすくなります。

## 8-1-4 AIの部品をつなげる
　　　　　入力と出力が分かれば、つなげられる。

　ここでは、音声合成のプログラムを読みながら動かしてみました。

　**入力**となるのは文字列ですね。**出力**となるのは音声データです。音声データは、この本での言い方で言うと**量の数**をたくさん並べたものです。第6章で、音をプログラムであつかったときに出てきましたね。データ構造について知っていると、**入力**と**出力**についてはとてもよく理解することができるのです。

　音声合成は、そのしくみはよく分からない「むずかしそうな技術」です。でも、この本を読んでいる多くの人が「恐くない」レベルで受け入れられたと思います。

　それは多分、音声合成が今となってはありふれた技術だからとか、プログラムを動かしたら簡単に結果が見えて実感できたとか、そういった理由で「恐くない」のだと思います。プログラム全体を「**入力、処理、出力**」に分けて見られるようになると、より深くプログラムを読むことができるようになります。

　これはとても重要なステップです。なぜなら、入力となるデータ構造が分かれば、

プログラムを書き換えたりして好きなように変えることができるからです。出力となるデータ構造が分かれば、他のアルゴリズムの入力として使うことができるからです。

　「ありふれたAI」は、他にもたくさんあります。そしてたいてい、そういうAIは実際に試すことができるPythonのプログラムを見つけることができます。

　「本当かな？」と思ったら、実際にインターネットを検索してみてください。たくさんのPythonプログラムが見つけられます。生成AIとして話題になっているChatGPTなどもそんなプログラムの1つなのです。

▶ さまざまなPythonプログラムがインターネットで探せる

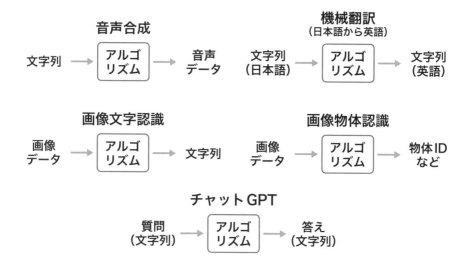

どのAIも、入力と出力がどんなデータ構造のなかが分かれば、使えるような気がしてきませんか？

プログラムを読みながら、試してみたいです！

生徒さんは、そろそろ次のステップに進む準備ができているみたいです。

## 8-1-5 さあ、このあとどうしよう

Pythonやプログラミングを、もっと深く学ぼう。

プログラムを読むとき、最初にすべきことがあります。**入力と出力のデータ構造がどうなっているのかをたしかめる**のです。入力が分かれば、書き換えることができます。出力が分かれば、つなげることができます。2つのプログラムの入力と出力をつなげると、より長いプログラムを作ることができるようになります。

Pythonで簡単に使える音声認識の**クラス**があるのです。興味のある人は、「プログラム8-2」にある「オマケ－音声認識を試す」にあるプログラムを見てください。音声認識を試すためのプログラムを用意していますので、チャレンジとして動かしながら確かめてみてください。

また、AIの機能を使えるAPIを活用すれば、機械翻訳の機能や、先ほどの音声合成の機能を組み合わせることも考えられます。「音声認識」と「翻訳」「音声合成」をつなげたしくみは、「音声自動翻訳」と呼ばれています。人間がやるとなると、プロにお願いするようなむずかしい仕事です。Pythonを使えば、このような知的な仕事を、部品をつなげることで「コンピュータにお願い」できてしまうのです。

**▶ プログラムをつなげると音声自動翻訳も可能**

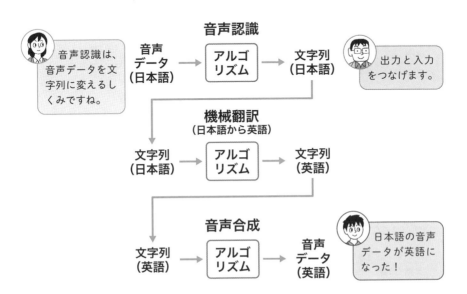

今、多くの人がプログラミングの入口としてPythonを選び、学んでいます。「AIを部品としてつなげて作るプログラム」は、Pythonを学びたいと思う多くの人の目標になると思います。

　これは、万人向けのPython活用方法と言えるかも知れません。ちょっと簡単に感じて、だれでもやりたくなるPythonプログラミングです。AIだけでなく、Excelの自動化、Webの情報を集めるスクレイピングなど、大きな部品を使って作ることができるPythonのプログラムは他にもいろいろとあります。

　このような大きな部品は、別のアルゴリズムを集めて作られています。階段を下るように部品を分けていくと、ちょうどみなさんがこの本で学んだことを、逆向きにたどっていく感じになります。小さな部品で作るプログラムの世界には、より大きな部品の「しくみ」がかくされています。大きなアルゴリズムは、小さなアルゴリズムを入力と出力でつなげて作られているのです。

### 入口と出口のデータ構造を考えて小さく分けていく

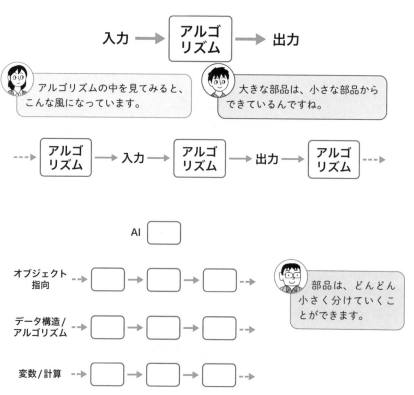

　一番下にあるのは、**数と計算で作られた「入力、処理、出力」の部品**です。人間とそっくりにふるまう高度なAIも、現実と同じように感じられるリアルなゲームも全部、この小さな基本部品を組み合わせることで作られています。

　私たちが言葉を使ってできることはいろいろあります。簡単なお願いごとを人に伝えるために、短い言葉を使います。また人を楽しませたり感動させたりするために、言葉で小説のような長い文章を書くこともあります。

　小説を書きたいと思う人は、言葉について深く学び、言葉について深く知ろうとするはずです。でも、だれもが小説を書くわけではありません。ほとんどの人は日常生活で使う道具として、簡単な言葉を使うはずです。

　かつてプログラミングは専門家だけのものでした。でも最近では、多くの人にとって身近に感じられるようになってきているようです。そしてこの先、もっと多くの人がPythonを「ことば」として操り、いろいろなプログラムを作るようになっていくと筆者は考えています。

　現代は、プログラムの部品として使える部品がたくさん用意されています。ライブラリを使えば、便利なデータ構造や、かしこいアルゴリズムを簡単に利用することができます。一昔前は、専門の研究者だけが使えたような高度なAIの機能だって、APIを使って部品として手軽に活用できるようになってきています。

　Pythonを使うと、「ことば」をつむぐように部品を組み合わせて、便利なプログラムを作ることができます。**大きな部品**をうまく組み合わせれば、おどろくような機能を持ったプログラムを手軽に作れてしまいます。本書をここまで読んでくれたみなさんには、このことを実感してもらえたと思います。

　そして、もしもっといろいろな種類のプログラムを作りたいと思うなら、ぜひ学びを続けてください。

　まず、どんな部品が使えるのかを調べることからはじめるのがいいと思います。インターネットを検索すると、実際に動かせるPythonのプログラムがとてもたくさん見つかります。そしてできる限り、実際にプログラムを読み、動かしてみてください。入口と出口となるデータ構造についてよく理解しながら、プログラムが動く様子を確認するのです。

　本書でPythonを学んできたみなさんなら、きっとできるはずです。

勇 者
HP :100
MP : 20

魔法使い
HP : 50
MP : 80

# Appendix

# A-1 コラボラトリーで プログラムを保存しよう

　この本ではGoogleのコラボラトリーを使って、プログラムを読み、実行し、書き換えたりしてきました。

　自分で書き換えた大事なプログラムは**保存**したいですよね。そうすれば、また見直すことも、もっと良くなるように書き換えることもできます。問題がむずかしかったときは、あとで解き直すこともできます。

　Webブラウザを使って、Pythonのプログラムをコラボラトリーで開いてきましたが、そのプログラムは簡単に保存することができます。また、保存したプログラムを読み込んで、コラボラトリーで開き直すこともできます。

　第1章の最初で説明しているように、Webブラウザでコラボラトリーを開いたら、**Googleアカウントでログイン**しておいてください。コラボラトリーで実行できる状態であれば、ログインできています。

## ◈ コラボラトリーでプログラムを保存する方法

　Webブラウザのコラボラトリーの画面で、上部にある「**ファイル**」をクリック（タップ）するとメニューが表示されます。メニューの中から「**ドライブにコピーを保存**」を選んでください。

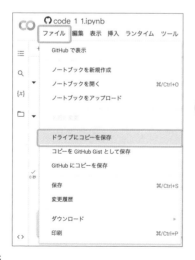

「ファイル」メニューが見えない場合は、画面上部の右端にある ⌄ を押すと、見えるようになります。

Appendix

「ドライブにコピーを保存」をクリック（タップ）すると、「コピーを作成しています」とメッセージが表示されて、そのあとWebブラウザに新しいタブが追加されます。新しいタブには、元のプログラム名の後ろに「……のコピー」とタブ名が表示されています。

この新しいタブにコピーされたプログラムが表示されます。そのまま、プログラムを実行したり書き換えたりできます。

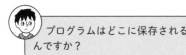
プログラムはどこに保存されるんですか？

ログインしているGoogleアカウントで、Googleのクラウドに保存されますよ。

### ◆ 保存したプログラムをコラボラトリーで開く方法

一度保存したプログラムは、コラボラトリーを使って何度も開くことができます。同じくコラボラトリーの「**ファイル**」をクリック（タップ）して開いたメニューから、「**ノートブックを開く**」を選びます。

するとファイルの選択する画面が表示されます。画面上部にある「**Googleドライブ**」をクリック（タップ）してください。リストが表示されますので、開きたいプログラムを選んでください。

プログラムを保存して、途中からプログラムを実行するときに注意してもらいたいことがあります。プログラムは、必ず一番上から、途中のセルを省略することなく、順番に実行していってください。途中からはじめるときも、一番上からセルを実行していってください。途中から実行すると、準備がととのわない状態でプログラムを実行するため、エラーがでるのです。

# A-2 パソコンでPythonを
# 動かす環境構築

　クラウドで動くコラボラトリーではなく、自分のパソコンでPythonのプログラ
ムを動かす方法について説明します。パソコンにPythonの環境をインストールし
て、この本に書いてあるプログラムを動かすのです。

　パソコンにインストールできるPythonにはいくつか種類があります。ここでは、
**Anaconda（アナコンダ）**という機能強化版のPythonを使います。Anacondaは、
仕事で使うのではない限り無料で使えます。コラボラトリーと同じように、**Web
ブラウザ**を使ってPythonを動かすことができます。

　簡単なので、自分でアプリをインストールできるパソコンを持っている人は、ぜ
ひ試してみてください。ここで紹介するのはWindows向けの方法ですが、Macを
使っている人も同じようにインストールできます。

　この本で紹介してきたサンプルのプログラムを、自分のパソコンで動かすために
は、次の手順で作業をします。

- 1. Python (Anaconda) インストーラーのダウンロード
- 2. Python (Anaconda)のインストール
- 3. 本書のPythonサンプルプログラムのダウンロードと配置
- 4. Python (Jupyter Notebook) の起動

## ◆ 1. Python(Anaconda) インストーラーのダウンロード

　Webブラウザに次のアドレスを入力して、Python(Anaconda)のダウンロードペー
ジを表示します。

- **Anacodaのダウンロードページ**
URL https://www.anaconda.com/download/

　英語の画面が表示されます。画面を少し下にスクロールして「Download」ボタン
を押すと、インストーラーファイルのダウンロードがはじまります。ダウンロード
が終わったら、インストーラーを実行してください。

## 2. Python（Anaconda）のインストール

インストーラーを実行すると、インストールウィザードがはじまります。最初の画面では「Next」ボタンを押して、インストールを進めていきましょう。

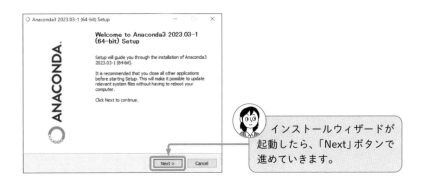

インストールウィザードが起動したら、「Next」ボタンで進めていきます。

インストールウィザードを進めていくと、途中、次のような画面が表示されます。インストール先の指定ですが、この指定に**日本語**が表示されていた場合、このままではインストールができません。その場合は、先に「C:」ドライブの下に「anaconda3」というフォルダを作って、インストール先として指定します。「Browse」ボタンを押すと、インストール先を指定できます。よく分からなかったら、くわしい人に聞いてみましょう。

囲んでいるインストール先に日本語が入っているなら、先に「C:¥anaconda3」フォルダを作ってから、そのフォルダを「Browse」ボタンで指定しましょう。

インストール先を指定できたら「Next」ボタンを押して、インストールウィザードを進めます。このあと、何度か「Next」ボタンを押して進めるとインストールがはじまります。Python（Anaconda）のインストールは、しばらく時間がかかりますから、終わるまで待っていてください。

最後にインストールウィザードの終了画面が表示されます。ユーザー登録画面を

表示したり、Anaconda Navigatorの起動をするかどうかのチェックボックスが用意されているので、チェックを外してウィザードを終了しましょう。Python（Anaconda）はユーザー登録をしなくても利用できます。

### ◈ 3. 本書のPythonサンプルプログラムのダウンロードと配置

　次に、この本で紹介しているPythonプログラムをダウンロードします。次のアドレス（短縮URL）を、Webブラウザに入力してください。入力してエンターキーを押すと、すぐにファイルのダウンロードがはじまります。

> アドレス欄に入力する文字
>
> qrtn.jp/rzv3hf7

　また、次の本書のサポートページでも同じダウンロードファイルを用意しています。

URL https://isbn2.sbcr.jp/13358/

　ダウンロードしたファイルは、ZIP形式の圧縮ファイルになっています（「mpb_samples-main.zip」）ので、**展開して使う**ようにしてください。

　展開すると**「mpb_samples-main」フォルダ**が作られ、その中に本書の各章ごとのプログラムがあります。この「mpb_samples-main」フォルダは、必ずみなさんのユーザー名になっている**ホームフォルダの中に移動**してください。たとえば、C:ドライブの下にユーザーフォルダがあるなら、「C:¥Users¥（利用者のユーザー名）」の中に展開した「mpb_samples-main」フォルダを置いてください。

　ここまでくれば、もう一息です。

### ◈ 4. Python（Jupyter Notebook）の起動

　次に、プログラムを動かすためにPython（Anaconda）を起動します。ここでは、コラボラトリーと同じように、Webブラウザを使ってPythonのプログラムを書き換えたり、動かしたりする方法を紹介します。Jupyter Notebook（ジュピター　ノートブック）というしくみを使います。

　Python（Anaconda）をインストールすると、Windowsの［スタート］メニューに「Anaconda3 (64-bit)」という新しいメニューフォルダが追加されます。この追加された**「Anaconda3 (64-bit)」**のフォルダを開いて、その中にある「**Jupyter Notebook**」を選び、クリックして起動します。

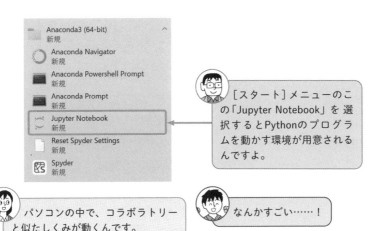

［スタート］メニューのこの「Jupyter Notebook」を選択するとPythonのプログラムを動かす環境が用意されるんですよ。

パソコンの中で、コラボラトリーと似たしくみが動くんです。

なんかすごい……！

　すると、Webブラウザが起動して、Jupyter Notebookの画面が開きます。ただ、最初はうまく開かないときがあります。その場合は、Jupyter Notebookが起動しているときに表示される次のようなコマンドプロンプト（ターミナル）の画面にある、「To access the notebook, open this file in a browser:」と記載された下の「file:// ～」のファイルへのパスをマウスドラッグ操作などでコピーして、Webブラウザのアドレス欄に入力（ペースト）してアクセスしてください。

Webブラウザの画面がうまく表示されないときは、Jupyter Notebookが動作しているときに表示されるこの画面にある、「To access the notebook, open this file in a browser:」と記載された下の「file:// ～」のファイルへのパスを、Webブラウザのアドレス欄に入力して開きます。

WebブラウザにJupyter Notebookが開いたら、表示されるフォルダやファイルのリストの中に、先ほどダウンロードして展開した「mpb_samples-main」という名前のフォルダが見えるはずです。これをクリックします。

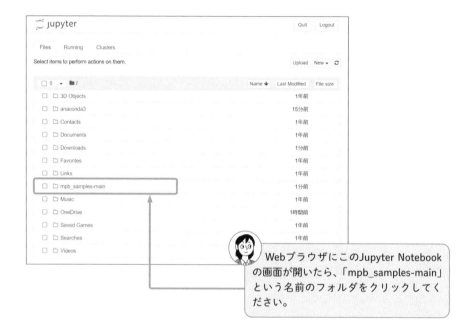

Webブラウザにこのjupyter Notebookの画面が開いたら、「mpb_samples-main」という名前のフォルダをクリックしてください。

すると、「ch01」から「ch08」のフォルダが並んだリストの画面が表示されます。各章ごとにフォルダが分かれているのです。

開きたいプログラムがある章のフォルダをクリックします。すると、Pythonプログラムのファイルが並んだリストが表示されます。ここから、目的のファイルをクリックしてプログラムを開きます。たとえば、「プログラム1-1」を開きたい場合は、「code_1_1.ipynb」を開きます。プログラムの番号にあわせて、ファイルを選べばいいのです。

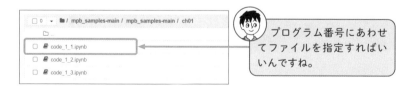

プログラム番号にあわせてファイルを指定すればいいんですね。

　プログラムをクリックすると、Webブラウザ上にコラボラトリーと似た画面として表示されます。入力方法などもよく似ています。プログラムの動かし方など、違う部分を中心に説明しておきます。

　プログラムを動かしたいときは、カーソルを動かしたいプログラムの入力セルに移動してから、画面上部の ▶ Run ボタンをクリック（タップ）します。すると、出力セルに結果が表示されます。

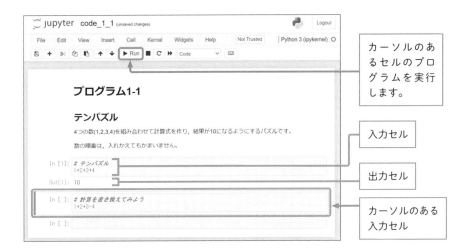

カーソルのあるセルのプログラムを実行します。

入力セル

出力セル

カーソルのある入力セル

　書き換えたプログラムを保存したいときは、「**File（ファイル）**」メニューから「**Save and Check（セーブとチェックポイント）**」を選びます。

　また、プログラムの画面を閉じるときは、**必ず**「**File（ファイル）**」メニューから「**Close and Halt（閉じて終了）**」を選ぶようにしてください。

Pythonやプログラミングを、より深く勉強したい人は、この本に書いてあるプログラムをゼロから書き写しながら実行してみるといいですよ。

「File(ファイル)」メニューから、「**New Notebook(新しいノートブック)**」→「**Python3**」を選べば、新しいプログラムを開けます。

ぜひ試してみたいと思います！

# Index

# あとがき

　第8章でみなさんは、大きな部品を使ったプログラミングについて学びました。大きな部品を使うと、役に立つプログラムが簡単に作れますし、なにより楽しいですね。

　でも、小さな部品を使ったプログラミングも、実はとても大事なのです。小さな部品を使ったプログラミングを志す人は、しくみを追いながら学んでゆく必要があります。学び方の手法は、大きな部品を使う場合と同じです。入力と出力になるデータ構造について、よく理解しながらプログラムを読み、動かしながら学ぶのです。

　小さな部品を使ったプログラミングは、得意不得意の分かれる分野かも知れません。論理的に考える力が求められるからです。数が表現しているとても抽象的な世界を受け入れる想像力も必要です。好きな人にとっては、これほど面白いことはありません。

　この本を書いている私がプログラミングをはじめた頃は、Pythonはこの世に生まれていませんでした。その頃、プログラミングをするには、変数と計算を組み合わせた、とてもシンプルな部分からはじめる必要がありました。Pythonで作るプログラムより、少し下の位置にある部分ですね。ときにはコンピューターが直接あつかう、純粋な「数と計算の世界」に踏み込む必要があったんです。

　大きな部品がそろっていて、ちょっとしたプログラムを与えるだけで高度な処理を実現できる今の時代から見ると、まるで原始時代です。少しずつ部品が大きくなっていく様子を見ていた時代の中で、ついにPythonが登場しました。

　はじめの頃のPythonは、使える部品も今ほど大きくありませんでした。それが最近では、AIのような高度な機能を、簡単に使えるようになっています。

　この文章を書いている今は、「生成系」と呼ばれるAIが流行っています。たとえば、呪文の文字列を入力として与えると、リアルな絵が出力されるアルゴリズムがあるのです。文章の文字列を入力として与えると、人間が考えたような答えを出力するChatGPTや、その元となっているGPT-3、GTP-4も、生成系アルゴリズムの仲間です。

　こういう技術も、この本を書いた数年後には、ありふれた技術になっているかもしれません。大きな部品を使って、便利なアルゴリズムをPythonから手軽にあや

つれるようになっているのかもしれません。大きな部品は、より小さな部品を組み合わせて作られます。これからあらわれる、より大きな部品も同じです。

　この本を最後まで読んでくれた人が、プログラミングの勉強を続けて、とても便利な部品を作ったり、部品を組み合わせて役に立つプログラムを作ってくれたりするのかもしれません。そんな未来が訪れるのがとても楽しみです。

　最後に、原稿を査読してくださった、石谷絢さん、井上直也さん、小川英幸さん、河野孝雅さん、五安城貴博・陽菜さん、柴田幸恵さん、新川貴章さん、杉原智幸さん、武田圭司さん、中西智陽さん、長安尚之さん、松尾邦子さん、矢澤達也さん、渡邉悠一，航志さん、そして編集諸氏をはじめ書籍の制作に関わってくれた方々の協力なしには、この本は完成しませんでした。ありがとうございました。

　形にならないたくさんの勇気と励ましをくれた妻と子供たち、いつも前向きでいることの大切さを教えてくれたビスキーに、この本を捧げたいと思います。

柴田 淳

■本書サポートページ

https://isbn2.sbcr.jp/13358/

• 本書をお読みいただいたご感想を上記URLからお寄せください。
• 上記URLに正誤情報、サンプルダウンロード等、本書の関連情報を掲載しておりますので、併せてご利用ください。

■著者プロフィール

## 柴田 淳（しばたあつし）

『みんなのPython』（SBクリエイティブ）の著者。技術書を書いて約40年、Pythonとプログラミングを教えて約20年。大手予備校でプログラミングの講師をしています。

# Pythonで学ぶ
# はじめてのプログラミング入門教室

2023年 12月 7日　初版第1刷発行

| | | |
|---|---|---|
| 著　者 | ……………………… | 柴田 淳 |
| 発行者 | ……………………… | 小川 淳 |
| 発行所 | ……………………… | SBクリエイティブ株式会社 |
| | | 〒106-0032 東京都港区六本木2-4-5 |
| | | https://www.sbcr.jp/ |
| カバーデザイン | …………… | 小口翔平＋畑中茜 (tobufune) |
| 本文イラスト | ……………… | 堀江篤史 |
| 本文デザイン・制作 | ……… | クニメディア株式会社 |
| 印　刷 | ……………………… | 株式会社シナノ |

落丁本、乱丁本は小社営業部 (03-5549-1201) にてお取り替えいたします。
定価はカバーに記載されています。

Printed in Japan ISBN978-4-8156-1335-8